Lektürehilfen
Georg Büchner
„Dantons Tod"

von Hansjürgen Popp

Ernst Klett Verlag
für Wissen und Bildung

In der Klett-Reihe Editionen für den Literaturunterricht ist erschienen:
Georg Büchner, Dantons Tod. Text und Materialien.
Materialien ausgewählt und eingeleitet von Bernd Jürgen Warneken.
Stuttgart 1979.
Klettbuch 3512

(In den Zitaten des vorliegenden Bandes sind Orthographie und Zeichensetzung den Duden-Normen angenähert worden.)

CIP-Titelaufnahme der Deutschen Bibliothek

Popp, Hansjürgen:
Lektürehilfen Georg Büchner, „Dantons Tod" / von Hansjürgen
Popp. – 1. Aufl. – Stuttgart: Klett, 1990
(Klett-Lektürehilfen)
ISBN 3-12-922332-0

1. Auflage 1990
Alle Rechte vorbehalten
Fotomechanische Wiedergabe nur mit Genehmigung des Verlages
© Ernst Klett Verlag für Wissen und Bildung GmbH & Co. KG,
Stuttgart 1990
Satz: Janß, Pfungstadt
Druck: Wilhelm Röck, Weinsberg
Einbandgestaltung: Hitz und Mahn, Stuttgart
ISBN 3-12-922332-0

Inhalt

Der inhaltliche Aufbau des Stücks

Der erste Akt:
Exposition des Gegensatzes
Danton – Robespierre

I, 1 – [Ein Spielsalon]: Einführung Dantons und seiner Freunde

Das Stück beginnt in einem Spielsalon – in einem Milieu also, bei dem man eher an die Aristokratengesellschaft des Ancien régime denken möchte als an die Helden der Französischen Revolution. In dieser elegant-frivolen Umgebung wird Danton zuerst gezeigt, allerdings in ziemlicher innerer Distanz zu dem Treiben um ihn herum. Im Gespräch mit seiner Frau läßt er schon die Stimmung erkennen, die ihn beherrscht und die seine Haltung bestimmen wird: das Gefühl der Vereinsamung des Menschen, der Unmöglichkeit zwischenmenschlicher Kommunikation, nach der man doch so verzweifelt verlangt, daß man sich „die Schädeldecken aufbrechen und die Gedanken einander aus den Hirnfasern zerren" möchte. Aus diesem Bewußtsein des Verlorenseins und der Vergeblichkeit resultiert der Wunsch nach einer letzten Geborgenheit oder Ruhe: – die Todessehnsucht.

Das Gespräch Dantons mit Julie, das selbst auch keine Kommunikation erreicht, sondern in einem Monologisieren Dantons steckenbleibt, hat als Folie das leichtfertig-zweideutige Geplauder, das Hérault, einer der Danton-Freunde, mit einer Dame beim Kartenspiel treibt.

Die eigentliche Handlung des Stücks setzt ein, als zwei weitere Danton-Anhänger eintreten, die die politische Thematik ins Spiel bringen: Camille Desmoulins und Philippeau berichten von der Hinrichtung der Hébertisten an diesem Tag (der demnach

Einführung Dantons ins Milieu des Spielsalons

Dantons Themen: Isolation und Todessehnsucht

der 24. März 1794 ist), einem neuen Akt der ‚terreur‘ (der ‚Herrschaft des Schreckens‘), der zu einer ernsthaften Diskussion über die politische Lage zwinge.

Das Programm der Danton-Fraktion:

Die drei Danton-Freunde entwickeln nun nacheinander das ‚Programm der Danton-Fraktion‘: – Philippeau erhebt konkret die Forderung nach Einrichtung eines Gnadenausschusses und Wiederaufnahme der ausgestoßenen Deputierten (d. h. der Girondisten, soweit sie die ‚Säuberungen‘ überlebt haben). –

– „Mäßigung“, Gnade

Hérault verkündet ein Programm des bürgerlichen Liberalismus: Reorganisation statt Revolution, Rechte statt Pflichten; und vor allem: „Jeder muß in seiner Art genießen können“, das Tun des einzelnen „geht den Staat nichts an“. (Allerdings erkennt Hérault die Notwendigkeit, einschränkend hinzuzusetzen, daß „keiner auf Unkosten eines andern genießen“ dürfe.) –

– und bürgerliche Freiheiten

Daran anknüpfend formuliert Camille sozusagen den lebensbejahenden und ästhetischen Aspekt dieses liberal-individualistischen Programms, indem er Lebensgenuß und Schönheitsfreude der griechischen Antike mit der finsteren Bürgertugend und sinnenfeindlichen Sittenstrenge der alten Römer konfrontiert, auf die sich die jakobinische Revolution so gern beruft. Nach Camille soll die Staatsform nur „ein durchsichtiges Gewand sein“, das wie bei einer Plastik jedes Sich-Rühren des Lebens zuläßt und in seiner Schönheit sichtbar macht. Nicht mehr die blutigfinsteren politischen Märtyrer der Jakobiner (Marat und Chalier) sollen Leitbilder des politischen Lebens sein, sondern „die Venus mit dem schönen Hintern“ – jene Plastik, die Inbegriff schönheitsbejahender Sinnenfreude ist, und „der göttliche Epikur“ – der griechische Philosoph, dessen Lehre man (verkürzend) allgemein als Anweisung zum Lebensgenuß versteht.

Camilles Ideale: Lebensgenuß und Schönheitsfreude

Dantons skeptische Distanziertheit

Danton hat die politischen Thesen seiner Freunde distanziert-unbeteiligt angehört; er läßt sich erst ins Gespräch ziehen, als Camille ihn direkt auffordert, *er* solle den Vorstoß im Nationalkonvent machen. Seine Reaktion zeigt, daß er das Programm seiner Freunde für nicht realisierbar hält: „Wer soll denn all die schönen Dinge ins Werk setzen?“ Philippeaus Antwort „Wir und die ehrlichen Leute“ er-

Das Fehlen von Bundesgenossen (Fragwürdigkeit der „ehrlichen Leute“)

weist die Berechtigung von Dantons Skepsis; denn ‚ehrliche Leute‘ (‚honnêtes gens‘) ist der Terminus technicus für eine Gruppe, die der Revolution (und wohl auch der Republik) feindlich gegenübersteht. Mag Danton, wie seine Erwiderung nahelegt, auch eher an die Angehörigen der gehobenen Bourgeoisie denken als an Altadelige: – geeignete Bundesgenossen für Republikaner und Revolutionäre (wenn auch neuerdings gemäßigte) sind diese ‚ehrlichen Leute‘ gewiß nicht. Und außerdem, meint Danton, sei es zweifelhaft, ob die ‚ehrlichen Leute‘ überhaupt mit den Dantonisten, die ja alle führende Radikale gewesen sind, zusammengehen würden.

Überdies zweifelt Danton an der Richtigkeit der Lagebeurteilung seiner Freunde. Gegen Héraults These, daß die Revolution „in das Stadium der Reorganisation gelangt" sei, setzt er seine (richtige) Prophezeiung: „Die Statue der Freiheit ist noch nicht gegossen, [...] wir alle können uns noch die Finger dabei verbrennen." – Was Danton jedoch wirklich abhält, aktiv zu werden, ist nicht die unterschiedliche Beurteilung der politischen Situation, sondern vielmehr das am Anfang der Szene exponierte Bewußtsein der Sinnlosigkeit zielgerichteten politischen Handelns überhaupt. Aus dieser grundsätzlichen Skepsis heraus entzieht er sich dem Aktivismus seiner Freunde: „Ich muß fort, sie reiben mich mit ihrer Politik noch auf."

Erkennbar wird in dieser Eingangsszene, daß die Gruppe um Danton im Gegensatz steht zu der ‚offiziellen‘ Politik der „Dezemvirn", d. h. der Männer des von Robespierre gelenkten Wohlfahrtsausschusses; und zwar handelt es sich einerseits um einen politischen Gegensatz, der durch die Antithesen Revolution/Reorganisation, Schrecken/Erbarmen gekennzeichnet ist; andererseits deutet sich aber auch ein moralisch-philosophischer Gegensatz an zwischen den Idealen ‚Tugend‘ und ‚Genuß‘ (personalisiert in der Bezugnahme auf Rousseau, den „Genfer Uhrmacher", bzw. Epikur).

Angedeutet werden weiterhin Probleme innerhalb der Gruppe um Danton. Unübersehbar ist die Diskrepanz zwischen der zuversichtlichen Aktivität der ‚Dantonisten‘ und der durch eine existentielle

Skeptische Lagebeurteilung Dantons

und seine existentielle Skepsis

Gegensätze zwischen Dantonisten und der Partei Robespierres

Meinungsunterschiede zwischen den Dantonisten und Danton

Skepsis bedingten Passivität Dantons selbst. Es ist auch klar, daß ein derart von Todessehnsucht gekennzeichneter Danton nicht zu dem unbeschwerten Genießen imstande ist, das Camille preist. – Und andererseits machen Milieu und Ton des Spielsalons (und erst recht die Hoffnung auf die Partnerschaft der „ehrlichen Leute") das liberale Programm der Dantonisten, die schönen Worte vom freien Genuß für jedermann in einem freien Staat, einigermaßen zweifelhaft. Man fragt sich, ob dieser Lebensstil das angestrebte Ergebnis der Revolution sein kann und wann das (von Hérault praktizierte, von Camille propagierte) Genießen beginnen wird, „auf Unkosten eines andern" zu gehen. Bei diesem Thema setzt die folgende Szene an.

I, 2 – Eine Gasse: Das Volk / Einführung Robespierres

Die zweite Szene beginnt mit einem harten Neueinsatz. Aus dem Salon wird man auf die Straße versetzt; nach der ‚herrschenden Schicht' der Revolution sieht man nun das einfache Volk: Der betrunkene Kleinbürger Simon beschimpft und prügelt sein Weib, weil sie aus Armut ihre Tochter zur Prostitution angehalten hat. Simon ist Theater-Souffleur; von diesem Beruf rührt seine komisch überhöhte Sprechweise her: die Tragödienzitate, das Hinübergleiten in Verse, das lächerliche Pathos. Die römischrepublikanische Drapierung („Ha Lucrecia! ein Messer, gebt mir ein Messer, Römer!") ist ein Stück Zeitkolorit, das Büchner hier einführt und zugleich parodiert, ebenso wie die ‚Tugendideologie' Simons: Die Lächerlichkeit von Simons Pathos wird entlarvt durch die Konfrontation mit den groben, aber sehr viel ehrlicheren Kommentaren seiner Frau und der Bürger; entlarvt auch durch die komischen Verwechslungen, die Simon unterlaufen (eine „Vestalin" beispielsweise ist die vornehme, zur Jungfräulichkeit verpflichtete Priesterin des ewigen Feuers auf dem ‚Staatsherd' im alten Rom; Simon will aber etwas wie ‚alte Kupplerin' sagen). Als verlogen erweist sich auch die mit altrömischer Sittenstrenge

Fragwürdigkeit des Lebensstils der Dantonisten

Harter Szenenumbruch

Der groteske Kleinbürger Simon

Entlarvung seines lächerlichen Pathos

vorgetragene moralische Entrüstung Simons: seine Frau macht drastisch deutlich, daß er nur von der Prostitution seiner Tochter lebt.

Nachdem der Zweite Bürger eine Weile den Streit des Paares mit witzigen Kommentaren begleitet hat, greift der ernsthafte Erste Bürger ein und nutzt den Anlaß zur Propaganda für eine radikal-soziale Weiterführung der Revolution (etwa im Sinn der Sansculotten): Das Mädchen werde nur durch den Hunger zur Hurerei gezwungen; schuld an der elenden Lage des Volkes seien die Reichen, die von der Ausbeutung der Arbeitenden lebten. Und der Dritte Bürger radikalisiert diese Propaganda weiter, indem er darauf hinweist, daß der bisherige Verlauf der Revolution noch unbefriedigend sei: Sturz und Liquidierung der Aristokraten, des Königs (des „Veto") und der Girondisten hätten dem armen Volk nichts eingebracht. Die Revolutionsgewinnler, die neuen Reichen, hätten den Besitz der Beseitigten an sich gebracht („die Toten ausgezogen"), während für die Armen immer noch gelte: „Unser Leben ist der Mord durch Arbeit, wir hängen sechzig Jahre lang am Strick und zapplen."

Radikal-soziale Agitation der „Bürger"

Die beiden Redner repräsentieren diejenige Gruppierung des Volkes, die entschlossen ist, sich selbst zu helfen, indem sie die Besitzenden enteignet und beseitigt. Die Reden rufen allgemeine Begeisterung für neue Gewalttätigkeiten hervor: „Totgeschlagen, wer kein Loch im Rock hat!" Und wirklich schleppen in diesem Augenblick einige der fanatisierten Armen einen „jungen Menschen" herbei, den sie als „Aristokraten" an der Straßenlaterne aufhängen wollen, – aus keinem anderen Grund, als weil er reich aussieht. (Allerdings macht er sich in der Tat als Angehörigen jener ‚neuen Aristokratie' kenntlich: ein Schnupftuch ist Inbegriff eleganter Kleidung; die übliche Anrede der Revolution ist ‚Bürger', nicht „meine Herren"). Der junge Mann kann sich dann aber im letzten Moment retten, weil die Menge sein Bonmot angesichts des Todes zu schätzen weiß und ihn laufen läßt.

Aufruf zur Weiterführung der Revolution

Lynchversuch an einem jungen Mann

Der mörderische Ausbruch ist verhindert, aber die Stimmung brodelt noch, als Robespierre auftritt, „begleitet von Weibern und Ohnehosen". (‚Ohne-

Auftreten Robespierres, mit Weibern und Sansculotten

9

hosen' ist die wörtliche Übersetzung von ‚Sansculottes': Die Kniehose, ‚calotte', mit Seidenstrümpfen war die charakteristische Tracht der Vornehmen; das arbeitende Volk ging ‚ohne Kniehose' und trug statt dessen lange Hosen, ‚pantalons'. Die Sansculotten sind die radikale Strömung des arbeitenden Pariser Volks.)

Robespierre als der ‚führende Staatsmann' bekommt zunächst den Zorn dieser Kleinbürger über ihre elende materielle Lage zu spüren, vorgetragen vor allem wieder vom Ersten Bürger, der auch gegenüber der staatlichen Ordnung (Robespierre tritt auf „Im Namen des Gesetzes!") die Forderung wiederholt, die Besitzenden totzuschlagen, und der im Namen des allein gesetzgebenden Volkes die Anarchie proklamiert. Schließlich jedoch vermag sich Robespierre gegenüber diesen anarchistischen Tendenzen durchzusetzen. Gehör verschafft ihm die Autorität und moralische Integrität seiner Persönlichkeit („hört den Unbestechlichen!" – der diesen Beinamen so gut verdient wie jener notorisch ‚gerechte' attische Politiker Aristides). Freilich kann man hier wie auch in späteren Szenen zweifeln, ob es sich bei den Zwischenrufen, die sich für Robespierre einsetzen, um spontane ‚Stimmen aus dem Volke' handelt oder ob Büchner Robespierre von einer Schar von Demagogen umgeben denkt, die durch geschicktes Taktieren das Volk in die jeweils gewünschte Richtung lenken. Das Weib jedenfalls, das mit Robespierre aufgetreten ist und ihn jetzt in religiös verzücktem Ton als „Messias" preist, „der gesandt ist zu wählen und zu richten", gehört zu den fanatischen Robespierre-Anhängern.

Sobald Robespierre einmal die Aufmerksamkeit der Anwesenden hat, weiß er geschickt um die Gunst des Volkes zu werben und dessen Interessen mit den Zielen der Jakobiner und des Wohlfahrtsausschusses zu verbinden – so daß ihm schließlich viele der Anwesenden in den Jakobinerklub folgen (wo man sie in der folgenden Szene I, 3 wiederfindet). – Die kurze Ansprache Robespierres skizziert stichwortartig sein ganzes Programm: die Tugendideologie und den moralischen Anspruch seiner Politik; die Vorstellung von der Notwendigkeit einer Lenkung

Anarchistische Unzufriedenheit der Bürger

Robespierres Werben um das Volk;

sein Programm:
– Tugendideologie

des Volkswillens durch Berufene; den Anspruch der Unfehlbarkeit dieser Berufenen; und die Rechtfertigung der ‚terreur‘, der gewaltsamen Durchsetzung der politischen Ziele durch eine Schreckensherrschaft, die nicht als Willkür, sondern als strenges, aber gerechtes Gericht verstanden wird.

– Führertum

– Schreckens-
Herrschaft

So sehr Robespierre bei seinem ersten Auftreten – im Gegensatz zu Danton und dessen Freunden – den Kontakt mit den einfachen Leuten sucht, als Anwalt ihrer berechtigten Forderungen gelten möchte und als solcher auch akzeptiert wird, so erscheint doch auch er von vornherein in schillernder Beleuchtung. Daß er von dem religiös entzückten Weib als „Messias" bezeichnet wird, entspricht offenbar durchaus seinem Selbstverständnis; denn er formuliert sein Programm in einer prophetischen, biblisch überhöhten Diktion, die von ungebrochenem Sendungsbewußtsein zeugt. Der kritische Hörer jedoch hat bei diesem Stil eher den Eindruck des Unwahren, des unberechtigten Anspruchs. Und geradezu komisch wirkt die erhabene Anrede: „Armes, tugendhaftes Volk!", wenn man unter diesen ‚Tugendhaften‘ etwa den Trunkenbold Simon und sein kupplerisches Weib vor sich sieht.

Fragwürdigkeit des
Anspruchs
Robespierres

Mit einer Passage dieses Paares schließt die Szene: Der betrunkene Simon, inzwischen weinerlich geworden, ist mit seiner Frau versöhnt und mit der Profession seiner Tochter einverstanden und läßt sich im Abgehen von seiner Frau stützen: „komm mein tugendreich Gemahl". Das groteske Pathos dieses Szenenschlusses ist sicher parodistisch gemeint; es karikiert und entlarvt das Tugendpathos der Robespierre-Rede und scheint zu besagen: dies ist der Stil, in dem Berauschte mit gebrochenem Verhältnis zur Realität reden.

Der
betrunkene Simon

als Parodie
auf Robespierres
Tugendpathos

Die zweite Szene macht die von den Dantonisten in I, 1 verkündete Staatsutopie nachträglich fragwürdig, indem sie deren Realitätsferne zeigt: Solange das Volk von Hunger und Not zu spontan-anarchistischem Aufbegehren getrieben wird, ist es geradezu zynisch, die Freiheit zu epikureischem Genuß zu verkünden. – Das Volk verdient in seinem Elend zweifellos Mitleid und Sympathie. Doch andererseits wird diese Sympathie problematisch, wenn

Ergebnisse von I, 2:
– Problematisie-
rung der
dantonistischen
Staatsutopie

– Problematisie-
rung der Rolle
des Volkes

man das Volk zuerst in den grotesken Personen des Simon-Paares kennenlernt, dann den willkürlichen Lynchversuch an dem jungen Menschen erlebt und schließlich sieht, wie das Volk seinem Tribunen mit der gleichen unkritischen Blindheit folgt, mit der es eben zu handeln bereit war. – Und Robespierre, der scheinbar den Kontakt zu den Massen findet und deren Interessen zu verfolgen vorgibt, erregt nicht nur dadurch Bedenken, daß sein Tugendpathos zu kritischer Parodie herausfordert, sondern mehr noch durch seinen Unfehlbarkeitsanspruch, auf den sich seine Politik der ‚terreur' gründet. – Es scheint also, daß in den Eingangsszenen alle Hauptpersonen bzw. Gruppierungen des Stücks als ‚gemischte Charaktere' exponiert werden sollen.

– Problematisierung des Anspruchs Robespierres

I, 3 – Der Jakobinerklub: Robespierres politisches Programm

Die dritte Szene knüpft zeitlich und inhaltlich an die vorhergehende an, nur der Schauplatz wechselt: Man ist jetzt im Jakobinerklub, wohin viele der Bürger Robespierre gefolgt sind. Und wie auf der Gasse, so muß sich Robespierre zunächst auch hier gegen Kritik der Radikalen (hier Kritik im Sinne der liquidierten Hébertisten) zur Wehr setzen, versteht dann aber aus der Verteidigung heraus einen glänzenden Sieg für seine Politik zu erringen.

Kritik der radikalen Jakobiner an Robespierre

Die Sitzung ist bei Szenenbeginn bereits eröffnet; ein Lyoner trägt die Klage bzw. Anklage seiner Parteifreunde vor. Lyon ist die Stadt der royalistisch-girondistischen Gegenrevolution, die den Jakobiner Chalier (vgl. I, 1) hingerichtet hat und die erst im Herbst 1793 mühsam unterdrückt worden ist. Nach der Beseitigung der Hébertisten, zu denen in Lyon der General Ronsin gehörte, faßt die Reaktion dort neue Hoffnung. War also nicht die Hinrichtung der Hébertisten der Todesstoß für die Freiheit? – ein Fehler, begangen aus zu großer Mäßigung und Schwäche, die die Radikalität Héberts nicht ertragen konnte?

Robespierre wird der direkten Stellungnahme zu diesem Angriff durch das Dazwischentreten Le-

Hébertistische Klage eines Lyoners

gendres enthoben, der darauf hinweist, daß nicht nur im fernen Lyon, sondern auch in Paris die Reaktion sich frech erlaube, dem Lebensstil der alten Aristokratie nachzueifern.

(Legendre gehört zum Kreis der Dantonisten, wie sich aus I, 4 und II, 7 ergibt; er steht aber doch so weit außerhalb, daß er nicht mit Danton verhaftet und hingerichtet wird. Sein radikales Auftreten in dieser Szene kommentiert Lacroix in I, 5, er habe „sich das Gesicht wieder rot machen" wollen; Legendre durchschaut aber gar nicht, was er anrichtet: vgl. I, 4. Später in II, 7 gibt er durch eine taktisch wieder sehr ungeschickte Intervention zugunsten Dantons Robespierre die Gelegenheit, den Konvent gegen Danton zu gewinnen.)

Legendres Denunziation des gegenrevolutionär-aristokratenhaften Treibens mancher Leute in Paris fordert den höhnischen Hinweis des Wohlfahrtausschuß-Mitglieds Collot heraus, zu diesen Leuten gehöre er ja selbst (mit seinen dantonistischen Freunden). Hier kann nachher Robespierre seinen Vorstoß gegen Danton ansetzen.

Doch zunächst nutzt Robespierre die Gelegenheit zu einer großen programmatischen Rede, in der er seine Analyse der Situation vorträgt und die Grundsätze seines politischen Handelns entfaltet.

▶ Als Einleitung bemüht er sich wieder, wie bei der Ansprache auf der Gasse, die Übereinstimmung zwischen dem Willen des Volkes und seiner eigenen Politik herauszuarbeiten, – hier mit noch deutlicherer Betonung seiner überlegenen Umsicht und Voraussicht.

▶ Dann erläutert er seine Sicht der politischen Lage: Nach der Ausschaltung der Girondisten gebe es zwei Gruppen von „inneren Feinden der Republik": Einerseits die Hébertisten als sozusagen ‚Linksabweichler': Ultrarevolutionäre, Atheisten, Gegner des Privateigentums, Anarchisten; – und andererseits die Dantonisten als ‚Rechtsabweichler': Gemäßigte, die die Revolution vorzeitig beenden möchten. In beiden Fällen fügt Robespierre an die im Prinzip ja korrekte Beschreibung die demagogische Klausel: diese Politik habe *den Zweck*, dem „Despotismus" und „den Königen" zu nützen. –

Durch die Beseitigung der Linksabweichler dürften nicht etwa die Rechtsabweichler die Oberhand bekommen; deshalb hält Robespierre jetzt den Angriff auf diese für notwendig. (Außerdem hat ihm z. B. die Begegnung mit dem Volk auf der Gasse gezeigt, daß seine potentielle Anhängerschaft ein solches Vorgehen von ihm erwartet.)

– Robespierres Programm: Verbindung von Schrecken und Tugend

▶ Auf die Analyse der Lage folgt die Verkündung von Robespierres politischem Programm: der Verbindung von Politik und Moral, von Schrecken und Tugend. Diese Proklamation der ‚Herrschaft des Schreckens' wird zunächst politisch motiviert: „Die Revolutionsregierung ist der Despotismus der Freiheit gegen die Tyrannei. [..] Die Unterdrücker der Menschheit bestrafen ist Gnade, ihnen verzeihen ist Barbarei." Doch schon hier zeigt sich in der Formulierung das Dogmatische an Robespierres Tugendprogramm: man würde erwarten, daß der Politiker die Unterdrückung *beseitigen* will; doch Robespierre spricht von *„bestrafen"*. Im weiteren wird der Übergang zum Moralisieren noch krasser: „Das Laster ist das Kainszeichen des Aristokratismus"; mit ihm sucht man „die heiligsten Quellen" der Kraft des Volkes „zu vergiften"; usw.

(Robespierres Dogmatismus)

– Angriff auf die aristokratenhaften Revolutionäre

▶ Robespierre kehrt dann allerdings vom Moralisieren zum konkreten politischen Angriff zurück, indem er jetzt Legendres Denunziation des aristokratenhaften Lebensstils gewisser Leute aufgreift: „Keinen Waffenstillstand mit den Menschen, welche nur auf Ausplünderung des Volkes bedacht waren." Es ist klar, daß damit die Dantonisten gemeint sind; und nach der Volksszene I, 2 muß man diesen Angriff für überaus gefährlich halten. Das Publikum im Jakobinerklub jedenfalls wird von Robespierre überzeugt; die Szene endet mit „allgemeinem Beifall", in dem Robespierre und die Republik identifiziert werden.

Bewertung von Robespierres Angriff

Unzweifelhaft trifft Robespierre mit seinem Angriff auf den aristokratenhaften Lebensstil und dem darin mitenthaltenen Vorwurf fehlenden Einfühlungsvermögens für das Elend des Volkes einen schwachen Punkt der Dantonisten. Aber über den bloßen Angriff auf Danton kommt Robespierre nicht hinaus; er zeigt in seinen Reden keinen Weg zur Beseitigung der Not. Tatsächlich scheint er also die Lage der Armen nur als Mittel zur Stärkung seiner eigenen Position zu benutzen.

I, 4 – Eine Gasse

Eine kurze Überleitung verknüpft I, 5 mit I, 3: Lacroix (der als Danton-Freund neu eingeführt wird) macht Legendre Vorhaltungen, daß er durch seinen Angriff im Jakobinerklub, aus dem sie offenbar gerade kommen, sie selbst, die Dantonisten-Fraktion, gefährdet habe. Sie sind nun im Begriff, Danton aufzusuchen, um ihm von der Gefahr zu berichten; Lacroix vermutet ihn bei den Dirnen im Palais Royal.

Bedrohung der Dantonisten durch Robespierres Vorstoß

I, 5 – Ein Zimmer [im Palais Royal]: Marion- und Grisetten-Szene / Warnung Dantons

Tatsächlich zeigt die nächste Szene Danton dort. Die ‚Grisette' (d. h. Prostituierte) Marion sitzt zu Füßen Dantons und erzählt ihm in langem Bericht die Geschichte ihres Lebens:
Die bürgerlich enge und prüde Erziehung der Mutter hat nicht verhindern können, daß Marion, ‚über sich selbst brütend', in „eine eigne Atmosphäre" der Sinnlichkeit geriet, die sie fast „erstickte". Als die Mutter einen jungen Mann als möglichen Bräutigam ins Haus zog, kam es bald zu einem intimen Verhältnis mit ihm. Doch Marions Sinnlichkeit wurde dann „wie ein Meer, was alles verschlang"; und „alle Männer verschmolzen in einen Leib" für sie – wozu sie jetzt beim Erzählen kommentiert: „Meine Natur war einmal so, wer kann da drüber hinaus?" Als der junge Mann schließlich ihre Untreue bemerkte, spielte er mit dem Gedanken, sie zu töten, ertränkte dann jedoch sich selbst. Beim Anblick seiner Leiche mußte Marion weinen; „das war der einzige Bruch in meinem Wesen"; im übrigen kennt sie „keinen Absatz, keine Veränderung" des Gefühls: „Ich bin im-

Lebensbericht der Grisette Marion

mer nur eins. Ein ununterbrochenes Sehnen und Fassen, eine Glut, ein Strom." Daß ihre Mutter vor Gram gestorben ist und daß die Leute mit Fingern auf sie weisen, empfindet sie mehr als lästig, als daß es sie innerlich beträfe: „Das ist dumm." Und unmittelbar daran knüpft sie ihre Lebensmaxime an: „Es läuft auf eins hinaus, an was man seine Freude hat [...], wer am meisten genießt, betet am meisten."

Diese Marion-Erzählung hat keine Funktion für den Fortgang der Handlung; sie muß also ihren Sinn in sich selbst haben; – nur ist sie in ihrer Bedeutung schwer einzuschätzen:

▶ Einerseits ist Marion besonders herausgehoben, insofern es ihr als einziger gestattet ist, sich selbst und ihre Existenzform so ausführlich und mit solcher Intensität darzustellen. Vergleichbar wäre ihr darin allenfalls Camille; und tatsächlich könnte man Marion als eine Verkörperung der Genußphilosophie Camilles auffassen: „Wer am meisten genießt, betet am meisten". Zu dieser ,epikureischen'

Deutung passen in Marions Bericht ,positive', ,lebensbejahende' Vokabeln wie: „ein ununterbrochenes Sehnen und Fassen, eine Glut, ein Strom".

▶ Doch andererseits hat Marions Bericht durchgehend einen tristen, ja trostlosen Ton. Der Satz, der das Bekenntnis zum Genuß formuliert, beginnt mit dem eher nach Gleichgültigkeit klingenden „Es läuft auf eins hinaus, an was man seine Freude hat";

– und es erscheint doch fraglich, ob es menschlich ist, nur einmal in seinem Leben geweint zu haben und „keinen Absatz, keine Veränderung" zu kennen. Genausowenig eindeutig ist die szenische Situation. Aufgewertet wird die Erzählung Marions durch die Aufmerksamkeit, mit der Danton zuhört; und vertieft wird die psychische Intensität der Szene auch durch den kurzen Dialog zwischen Danton und Marion im Anschluß an die Erzählung – eine Passage,

in der Danton in Marion geradezu die für den Menschen unerreichbare Idee der Schönheit zu sehen scheint (wobei es für ihn charakteristisch ist, daß die Schönheit eben unerreichbar bleibt – wie in I, 1 die Gedanken des anderen).

Doch unmittelbar nach diesen zarten, ,lyrischen'

Äußerungen Dantons tritt Lacroix auf, mit den ‚Grisetten' Adelaide und Rosalie; und der findet den Anblick Dantons mit Marion einfach komisch; ihm fällt dabei „die Gasse" ein: „eine Dogge und ein Bologneser Schoßhündlein, die quälten sich". Ein gewaltiger Absturz von dem „Teil des Äthers", den Danton beschwor, zur Gasse mit den sich paarenden Hunden und Mücken; von Schönheitsverlangen zu nur-animalischer Sexualität.

Harter Szenenumbruch: Auftreten des Lacroix mit Grisetten

Die Zynismen des Lacroix

Lacroix bringt zuerst ganz stark den Ton in das Stück, den schon der erste Herausgeber, Karl Gutzkow, in einem Brief an Büchner (vom 3. 3. 1835) als „die Quecksilberblumen Ihrer Phantasie" tadelte. (Quecksilberchlorid, von Büchner auch Sublimat genannt, diente zur Behandlung der Syphilis; die „Rosenkränze in den Leistendrüsen" meinen deren Symptome.) Lacroix stimmt diesen Ton an, aber Danton greift ihn sofort auf; beide zusammen fallen mit zynischen Sticheleien über die Mädchen her, bis die beleidigt gehen. (Rückwirkend wird so die Position Marions noch weiter relativiert: denn wenn Marion auch des langen Lebensberichts gewürdigt wird, so ist sie prinzipiell doch nichts anderes als Adelaide und Rosalie, wird auch im Personenverzeichnis mit diesen beiden als „Grisetten" zusammengefaßt.)

Das Syphilis- ‚Quecksilber'- Thema im „Danton"

Auch dieser Szenenteil hat keine Bedeutung für die Handlungsentwicklung, sondern ist um seiner selbst willen da: d. h. es geht Büchner gerade um die ‚Quecksilberblüten' dieses verbalen Geplänkels. Die starke Akzentuierung der Sexualität in „Dantons Tod", und zwar fast durchgehend einer durch die Lustseuche bedrohten Sexualität, hat man wohl als Chiffre für den Zustand der Welt, und speziell für den Zustand der Gesellschaft der Revolution zu verstehen:

> „Heillos ist diese Welt, weil im Sexus Lebenslust und Lues, Zeugungskraft und Leibesfäule sich verschränken. Die Fäulnis ist allem Leben eingesenkt, und für diese Tatsache wird immer wieder das Bild der Seuche, des venerischen Übels bemüht.
> In einem weitergreifenden Sinne stellt das Sexus-Motiv am Ende eine elementare Analogie zum Thema der Gesamtrevolution her, und darin dürfte

der Grund seiner überdeutlichen Anwesenheit im Drama liegen. Es ist eingesetzt als Abbreviatur der Krisenphase, eben der Jakobinerherrschaft mit dem Keim der Selbstauslöschung."

[Behrmann/Wohlleben, S. 190]

Bericht des Lacroix und des Paris

Nachdem Adelaide und Rosalie gegangen sind, kommt Lacroix auf sein eigentliches Anliegen: Er berichtet Danton von den Vorgängen im Jakobinerclub (d. h. von I, 3); Paris bringt ergänzende Nachricht von einem Gespräch mit Robespierre.

(Paris, der sich auch Fabricius nennt, ist beim Revolutionstribunal tätig und hat dadurch engen Kontakt zu Robespierre; er ist aber – laut Personenverzeichnis – „ein Freund Dantons", den er auch zu dem Streitgespräch mit Robespierre begleitet, I, 6, und den er mehrfach zu warnen versucht.)

über Robespierres Angriffsvorbereitungen

Die Nachrichten von Lacroix und Paris bedeuten, daß Robespierre sich zum Angriff rüstet; und Lacroix' Analyse der Situation ergibt, daß ihm angesichts des materiellen Elends des Volkes auch gar nichts anderes übrigbleibt: Robespierre ist aus Gründen der Selbsterhaltung zum Handeln gezwungen; und das Volk wird ihm folgen; das Volk „kennt keine Reliquien", es wird gern radikaler sein als „der Mann des September" (d. h. Danton).

Dantons Passivität trotz der drohenden Gefahr

Danton bestätigt die Analyse: „Die Revolution ist wie Saturn, sie frißt ihre eignen Kinder." Trotzdem kann er sich nicht zum Handeln entschließen: „Sie werden's nicht wagen", redet er sich ein; „sie hatten nie Mut ohne mich, sie werden keinen gegen mich haben." Doch diese Begründungen für seine Untätigkeit erscheinen als vorgeschobene Selbstbeschwichtigung; tatsächlich wird man eher an das in der Eingangsszene exponierte Bewußtsein der Sinnlosigkeit zielgerichteten politischen Handelns zu denken haben. Immerhin rafft sich Danton schließlich soweit zur Aktivität auf, daß er sich für den folgenden Tag ein Gespräch mit Robespierre vornimmt.

Ankündigung einer Begegnung Danton – Robespierre

Zynische Selbstanalyse des Lacroix

Bemerkenswert – und belastend für die Dantonisten – ist die zynische Selbstanalyse, die Lacroix in diesem Gespräch von sich und seinen Freunden gibt:

„Und außerdem, Danton, sind wir lasterhaft, wie Robespierre sagt, d. h. wir genießen, und das Volk ist tugendhaft, d. h. es genießt nicht, weil ihm die Arbeit die Genußorgane stumpf macht, [...] weil es kein Geld hat [...].“ Angesichts dieser Selbstdarstellung möchte man ihm zustimmen, wenn er fortführt: „Man nennt uns Spitzbuben, und [...] es ist, unter uns gesagt, so halbwegs was Wahres dran.“

I, 6 – Ein Zimmer [bei Robespierre]: Die Robespierre-Szenen: Auseinandersetzung mit Danton / Beschlußfassung mit Saint-Just / selbstkritische Monologe

Die letzte Szene des I. Aktes zeigt in ihrem ersten Teil das angekündigte Gespräch zwischen Danton und Robespierre; sie spielt also etwa 24 Stunden nach I, 5, denn es ist wieder, wie dort, später Abend. Bei Szenenbeginn befinden sich die beiden Kontrahenten bereits mitten im Streitgespräch – einem Streit, der die von den Dantonisten in I, 1, von Robespierre in I, 2–3 entwickelten Positionen miteinander konfrontiert:

Streitgespräch Danton – Robespierre:

▶ Danton vertritt die Forderung nach Mäßigung und Reorganisation, d. h. nach Beendigung der ‚terreur'-Phase (der ‚Notstands-Phase') der Revolution: „Wo die Notwehr aufhört, fängt der Mord an.“ – Dagegen stellt Robespierre seine These, daß die Revolution fortgesetzt werden müsse, daß auf die Änderung der Herrschaftsverhältnisse die „soziale Revolution“ folgen müsse; und er erklärt jeden, der Gnade und Mäßigung fordere, zu seinem Feind.

– Dantons Forderung nach Mäßigung

– Robespierres Forderung nach sozialer Revolution

▶ Robespierre wiederholt seine Forderung nach einer sozialen Revolution dann noch einmal in anderer Formulierung, indem er erklärt, die „gesunde Volkskraft“ müsse sich an die Stelle der abgewirtschafteten „guten Gesellschaft“ setzen: „Das Laster muß *bestraft* werden, die Tugend muß durch den Schrecken herrschen.“ In dieser Formulierung ist aus der konkreten politischen Forderung, die auf die elende materielle Lage des Volkes zielt, ein Dogma der Tugendideologie Robespierres geworden.

– Robespierres Tugendideologie

**– Dantons
Gegenstoß:**

▶ Und Danton greift diese Verlagerung des Streits vom Politischen oder gar Sozialpolitischen (wo er ihm unangenehm werden könnte) ins Moralisch-Philosophische sofort auf, indem er sich an der für Robespierre charakteristischen Wahl des Wortes

**Entlarvung der
Tugendideologie
als neidische
Spießermoral**

„Strafe" stößt. Er hält Robespierre entgegen, daß der ohne jede Berechtigung aus den privaten Grundsätzen seiner persönlichen Lebensführung Grundsätze des politischen Handelns mache; daß er zur revolutionären Doktrin erkläre, was in Wirklichkeit nur neidische Spießermoral sei (denn Danton hält Robespierres Tugendidee außerdem noch

**Proklamation
des Epikureis-
mus**

für verlogen). – Gegen diese Tugendideologie setzt Danton seine epikureische Überzeugung: „Jeder handelt seiner Natur gemäß, d. h. er tut, was ihm wohl tut." Gemäß dieser Definition ist also auch Robespierre ein ‚Epikureer', da der Kampf gegen epikureisches Genießen und das beständige Zur-Schau-Tragen einer „Moralphysiognomie" nichts weiter als sein ganz persönliches Vergnügen ist, ein Handeln gemäß seiner Natur und keineswegs ein Handeln gemäß einer Idee: – eine These, die Danton sarkastisch als grausame Desillusionierung Robespierres bezeichnet.

**– Endgültiger
Bruch zwischen
Robespierre
und Danton**

▶ Das Gespräch endet dann sehr abrupt mit dem völligen Bruch: Robespierre, ohne auf Dantons Argumentation einzugehen, erklärt das Laster zum Hochverrat (und damit Danton zum Hochverräter). Danton seinerseits bezweifelt, daß von den ‚Strafmaßnahmen' nur ‚Schuldige' getroffen worden seien; d. h. er behauptet, daß Robespierres ‚Schreckensherrschaft' keine Herrschaft der Tugend ist, sondern eine Willkürherrschaft Robespierres. – Danton erkennt nach diesem Streitgespräch die Größe der Gefahr und die Notwendigkeit, Gegenmaßnahmen zu ergreifen („Wir müssen uns zeigen", sagt er zu seinem stummen Begleiter Paris; d. h. wir müssen das Volk für uns zurückgewinnen).

**Erster Monolog
Robespierres:**

Robespierre, allein zurückgeblieben, legt sich in einem großen Monolog Rechenschaft ab über die Motive und Hintergedanken seines Handelns. In diesem zweiten Teil der Szene I, 6 sieht man Robespierre einmal nicht als politischen Agitator, sondern als Menschen, als Ringenden und Zweifelnden. Der

Monolog zeigt seine Verwundung durch Dantons Angriff und das Fragwürdigwerden der sonst zur Schau getragenen Selbstsicherheit.

Die Verunsicherung Robespierres vollzieht sich in mehreren Stufen. Er beginnt noch mit verärgerter Selbstsicherheit; dann gerät er über die Frage, welchen Eindruck sein Vorgehen gegen Danton nach außen erwecken wird (wird man es nicht für pure Eifersucht halten?), in den Selbstzweifel, ob derartige Vorwürfe nicht im Grunde durchaus berechtigt wären; und nach einem letzten Aufschwung, in dem er sich noch einmal seiner politisch-moralischen Prinzipien zu vergewissern sucht, endet er in nicht mehr abzuweisender Verunsicherung: „Wie das immer wieder kommt", „mit blutigem Finger"; und, in Wiederaufnahme und Neubeantwortung von Dantons Frage, ob er nicht erkenne, daß er sich selbst belüge: „Ich weiß nicht, was in mir das andere belügt."

Dann folgen die am Fenster gesprochenen Worte mit ihren expressiven Bildern und Vorstellungen („Die Nacht schnarcht über der Erde und wälzt sich im wüsten Traum"), in denen Robespierre von dem nächtlichen Vordringen des Unterbewußten spricht („Wünsche kaum geahnt, wirr und gestaltlos") und zu ahnen beginnt, daß auch das praktische Handeln am Tage keineswegs von klaren Prinzipien gelenkt wird, sondern nur „ein hellerer Traum" ist, bestimmt von unvernünftigen, dämonischen Trieben.

Als in diesem Augenblick Saint-Just eintritt, ruft Robespierre, erschrocken zusammenfahrend, nach Licht: Das hat über den konkreten Bezug hinaus (es ist inzwischen dunkel geworden) auch einen symbolischen Unterton: St. Just versucht Robespierre das Licht der klaren Prinzipien, nach denen zu handeln wäre, zurückzubringen.

Saint-Just ist gekommen, um ein sofortiges Vorgehen gegen die Dantonisten, ehe man den Vorteil des Angriffs verliere, zu fordern; er und seine Freunde (vom Wohlfahrtsausschuß) sind entschlossen, notfalls auch ohne Robespierre zu handeln. Ohne daß dieser zunächst Stellung nimmt, besprechen sie die Modalitäten, wer alles mit Danton fallen müsse. Als Robespierre an der Notwendigkeit der Beseitigung

– Verunsicherung durch Danton

– Selbstzweifel

– Visionäre Ahnungen von der Herrschaft dämonischer Triebe

Beratung Saint-Justs mit Robespierre

– St.-Justs Forderung sofortigen Handelns

21

– Verhandlung
über Camille

Camilles zweifelt, zu dem er seit Schultagen eine persönliche Zuneigung hegt (vgl. II, 3), überzeugt ihn St. Just durch einen Artikel in Camilles Zeitung *Der alte Franziskaner*, in dem dieser Robespierre als den „Blutmessias" bezeichnet hat, der „opfert und nicht geopfert wird" und dessen „sauberer Frack [...] das Leichenhemd Frankreichs ist"; d. h. er hat Robespierre als einen falschen Messias angegriffen, dessen blutige Terror-Politik die Revolution und Frankreich ins Verderben stürzen wird.

– Widerwillige
Zustimmung
Robespierres

Nun stimmt Robespierre der Vernichtung der Dantonisten zu; allerdings nicht wie ein von seiner Sache Überzeugter, sondern wie ein Gehetzter, in die Enge Getriebener: „Weg mit ihnen! Rasch! nur die Toten kommen nicht wieder".

Zweiter Monolog
Robespierres
Nachdenken über
die Rolle des
„Blutmessias"

Von dieser Stimmung des widerwillig und zweifelnd zum Handeln Getrieben-Seins und von Camilles Stichwort „Blutmessias" kommt Robespierre auch nach St. Justs Fortgehen nicht mehr los. Er akzeptiert Camilles Vergleich, akzeptiert die Rolle des „Blutmessias" als die ihm vom Schicksal zudiktierte Aufgabe. Wenn er dabei Formulierungen wählt wie „ich nehme die Sünde auf mich" und „ich habe die Qual des Henkers", so empfindet er hier offenbar nicht mehr das messianische Sendungsbewußtsein wie in I, 2–3; obwohl der Anspruch, die Leute mit *ihrem* Blut erlösen zu können, eine für seine Umwelt tödliche Selbstüberschätzung bleibt. Doch froh wird er seiner Rolle nicht mehr; am Schluß der Szene beherrscht ihn das ‚Gethsemane-Bewußtsein' der Vereinsamung und des Verlassen-

Bewußtsein
der Isolation

seins: „Wir ringen alle im Gethsemanegarten im blutigen Schweiß, aber es erlöst keiner den andern mit seinen Wunden", und: „Sie gehen alle von mir – es ist alles wüst und leer – ich bin allein."

Der zweite Akt:
Dantons Verhaftung

II, 1 – Ein Zimmer [bei Danton]

Der zweite Akt beginnt wie der erste im Kreis der Dantonisten: Die Freunde – Camille und dann vor allem Lacroix – versuchen Danton anzutreiben, zu handeln und das Volk in öffentlichem Auftreten gegen die „Dezemvirn" (des Wohlfahrtsausschusses) zu mobilisieren.

Drängen der Freunde gegen Dantons Untätigkeit

Danton, beim Ankleiden, beginnt mit dem ihn bedrängenden Bewußtsein der Sinnlosigkeit, und zwar jetzt nicht nur der Sinnlosigkeit politischen Handelns, sondern der Sinnlosigkeit menschlichen Tuns überhaupt (es sei „sehr langweilig", beispielsweise „immer das Hemd zuerst und dann die Hosen drüber zu ziehen").

Dantons Bewußtsein der Sinnlosigkeit

Aus dieser Stimmung heraus formuliert er seine Abwehr gegen das Drängen der Freunde. Zwar hat er etwas unternommen: er hat die „Sektionen" (die Komitees der 48 Pariser Stadtbezirke) zu gewinnen versucht, jedoch erfolglos. Und mehr zu unternehmen ist er nicht willens; und es gäbe auch keine denkbaren Bundesgenossen: Die Jakobiner folgen Robespierre im Namen der Tugend gegen die Lasterhaftigkeit der Dantonisten; die Hébertisten können nicht verzeihen, daß die Danton-Fraktion gemeinsam mit den Robespierre-Leuten die Ausschaltung Héberts betrieben hat; und der Gemeinderat, der sich stark mit Hébert identifiziert hat, muß nach dessen Liquidierung „Buße tun", d. h. sich politisch ganz zurückhalten. Einzig ein Vorstoß im Konvent könnte Aussicht auf Erfolg haben; aber das gäbe ein Blutvergießen (wie bei der gescheiterten Erhebung der Girondisten gegen die Radikalen am „31. Mai"); und Danton will kein Blutvergießen mehr: „Ich will lieber guillotiniert werden als guillotinieren lassen [. . .] Wozu sollen wir Menschen miteinander kämpfen?"

Aussichtslosigkeit der Lage

Entscheidung gegen weiteres Blutvergießen

Camille greift diese Überzeugung von der Unmöglichkeit sinnvollen Handelns auf, indem er Dantons Anklage gegen die Einrichtung der Welt in pathetische Metaphern umsetzt. Philippeau allerdings, der von den übrigen Dantonisten immer durch seinen ernsthafteren und verantwortungsbewußteren Ton unterschieden ist, wendet ein, daß man Frankreich doch nicht einfach „seinen Henkern" überlassen dürfe. Doch Danton beharrt auf seinem Handlungsverzicht: „Was liegt daran?", angesichts der Sinnlosigkeit und Scheinhaftigkeit menschlichen Lebens; „wir stehen immer auf dem Theater" (die Theater-Metapher weist auf das später in II, 5 von Danton verwendete Bild von der Marionette voraus); „es ist recht gut, daß die Lebenszeit ein wenig reduziert wird".

Scheinhaftigkeit des Lebens (Theater-Metapher)

Danton weigert sich auch zu fliehen – in Konsequenz seiner resignierten Grundhaltung (aus „Faulheit", wie nachher Lacroix sarkastisch formuliert); aber auch, weil er letztlich nicht an eine ernsthafte Bedrohung glaubt: „Sie werden's nicht wagen." Dagegen sieht Lacroix den Untergang der Dantonisten deutlich voraus; es bleibe ihnen nichts mehr übrig, als „auf einen anständigen Fall [zu] studieren".

Selbstbeschwichtigung Dantons

II, 2 – Eine Promenade

Auf die Dantonisten-Szene folgt, wie im I. Akt, eine ‚Volksszene'; doch geht es hier nicht um die Lage speziell des einfachen Volkes, sondern es wird ein Querschnitt durch die ganze Gesellschaft gezeigt, wozu auch Vertreter der bürgerlichen ‚besseren Gesellschaft' gehören. Auf einer Promenade spazieren verschiedene Gruppen vorbei, deren ausschnittweise dargestellte Gespräche sich zu einem Zeitbild der Revolutionsepoche zusammenfügen.

Panorama der Revolutionsgesellschaft

▶ Den Anfang macht auch hier Simon, der diesmal einen Bürger bei der ‚revolutionsgerechten' Namenswahl für seinen neugeborenen Sohn berät, was von Büchner wieder durch die grotesk-pathetische Stilisierung ironisiert wird. (Die von Simon verwendete Formel, das einzelne müsse sich dem allgemeinen unterordnen, wird von der Frau des Bürgers offenbar benutzt, um ihre Seitensprünge zu legitimieren.)

– Revolutionäre Namensgebung

▶ Zwei „Herren" streiten mit einem Bettler über

den Wert der Arbeit: Dieser Vertreter der ‚verelende-
ten Massen' will gar keine Verbesserung seiner Lage,
sondern fühlt sich in seiner Bettelhaftigkeit ganz
wohl.

– Streit über den Wert der Arbeit

▶ Rosalie und Adelaide, deren Geschäfte schlecht
gehen, machen sich auf Kundenfang an Soldaten
heran.

▶ Dann kommt Danton vorbei, mit Camille; ihm
scheint die „Atmosphäre" voller „Unzucht" zu brü-
ten – voller Sexualität, die er als etwas Anima-
lisches sieht („wie die Hunde auf der Gasse"; vgl.
Lacroix in der Marion-Szene I, 5).

– Danton und Camille in dieser Szenerie

▶ Eine Dame der guten Gesellschaft mit ihrer
(scheinbar) wohlbehüteten Tochter und deren Kava-
lier treiben Konversation im Stil des Ancien régime,
wobei die Bemerkungen des „jungen Herrn" recht
zweideutig sind. (Der Friseur habe sie à l'enfant fri-
siert" soll heißen ‚habe ihr ein Kind gemacht'.)

– Konversation der ‚guten Gesellschaft'

Haben die bisherigen Teilszenen immer wieder auf
die Brüchigkeit, Unwahrhaftigkeit und Fragwürdigkeit dieser Gesellschaft hingewiesen (die Phra-
senhaftigkeit der Revolutionsterminologie, die
Fragwürdigkeit der ‚sexuellen Emanzipation', die
Verlogenheit der guten Gesellschaft), so fassen die
letzten beiden Passagen diese Analyse abschließend
zusammen – Danton in theoretischer Formulierung,
die beiden „Herren" in zwei chiffre-artigen Bildern:

▶ Danton, erneut mit Camille vorbeipromenierend,
fragt sich, warum angesichts dieser allgemeinen
Sinnlosigkeit und Verlogenheit „die Leute nicht auf
der Gasse stehen bleiben und einander ins Gesicht
lachen".

– Danton zu Camille über die allgemeine Sinnlosigkeit

▶ Zwei Herren plaudern von dem neuesten Theaterstück, das in der Darstellung bizarrer Konstruktio-
nen nach Art eines babylonischen Turms die Möglichkeit einer technischen Weltbewältigung verkündet
(die Vokabeln sind aber von Büchner so gewählt,
daß der Zuschauer diesen Glauben unmöglich teilen
kann). Dann stockt der eine Herr vor einer Pfütze,
weil er fürchtet, die Erdkruste sei so dünn, daß man
an so einer Stelle durchbrechen könne: eine sehr
eindrückliche Chiffre für das Gefühl, keinen festen
Boden mehr unter den Füßen zu haben.

– Chiffren vom bizarren Theaterstück und von der Brüchigkeit der Erdkruste

II, 3 – Ein Zimmer [bei Camille]

Die dritte Szene setzt ohne direkten Zusammenhang mit der Handlung neu ein (jedoch mit einer gewissen thematischen Bezugnahme auf das Gespräch der beiden Herren über das bizarre Theaterstück):

Camilles
anti-idealistische
Kunsttheorie

Camille verkündet, in Anwesenheit von Danton und Lucile, seine realistische, anti-idealistische Kunsttheorie. Er verwirft jede Stilisierung in Form, Thematik oder Aussage als unnatürlich und marionettenhaft: Die Leute, die das Leben auf der Gasse gegenüber einer idealisierenden Gestaltung als „erbärmliche Wirklichkeit" abqualifizieren, „vergessen ihren Herrgott über seinen schlechten Kopisten. Von der Schöpfung, die glühend, brausend und leuchtend, um und in ihnen, sich jeden Augenblick neu gebiert, hören und sehen sie nichts".

Danton erhält
Nachricht, daß
seine Verhaftung
beschlossen ist

Danton erhält die Warnung, daß der Wohlfahrtsausschuß seine Verhaftung beschlossen habe. Er geht – unentschlossen, wohin; unentschlossen nicht aus „Trägheit" (die ihm schon Lacroix vorgehalten hat), sondern, wie er selbst formuliert, weil er „müde" sei.

Zurück bleiben Camille und Lucile. In ihrer Szene wird ein Motiv angeschlagen, das dann im IV. Akt wiederkehrt: Die unbedingte seelische Bindung zweier Menschen – hier gefaßt in dem Bild, daß Lucile Camille sprechen *sieht*, ohne daß der rational faßbare Inhalt seiner Worte für sie relevant wäre. –

Luciles Liebe

und ihre Angst
um Camille

Camille versucht Lucile zu beruhigen, daß er nicht unbedingt mit Danton fallen müsse; denn es bestehe über die politischen Differenzen hinweg eine menschlich-freundschaftliche Beziehung zwischen ihm und Robespierre. Doch Lucile fühlt, daß diese Beziehung nicht tragfähig sein wird, daß ihr Camille verloren ist: Nach seinem Fortgehen kommt ihr zuerst, aus dem Unterbewußtsein heraus, ein Abschiedslied auf die Lippen; dann flieht sie aus dem Zimmer, weil es ihr scheint, „als hätte ein Toter drin gelegen".

II, 4 – Freies Feld: Danton auf der Flucht

Die nächste Szene zeigt Danton nun doch auf der Flucht; aber er entschließt sich gerade zur Umkehr. Denn der Tod – so räsoniert er – wäre ja sein Vorteil, insofern er das Gedächtnis vernichte. (Was Dantons Gedächtnis so belastet, daß er es unbedingt getilgt wissen möchte, erfährt man in der folgenden Szene, II, 5.) – Danton sieht selbst, daß er mit dem Tod „kokettiert", was „so aus der Entfernung" ganz harmlos erscheine; er glaubt immer noch: „Sie werden's nicht wagen."

Monolog Dantons auf der Flucht; Entschluß zur Umkehr

II, 5 – Ein Zimmer [bei Danton]

Die Szene II, 5 zeigt Danton in seiner letzten Nacht in der Freiheit, nach der Rückkehr von dem Fluchtversuch (II, 4) und vor der Verhaftung, die man sich gegen Morgen zu denken hat (II, 6).

Man erhält hier den tiefsten Einblick in Dantons Denken und Fühlen – vergleichbar dem Blick auf Robespierres Seelenlage, den die Robespierre-Monologe in I, 6 boten. Büchner hat die beiden Szenen in deutlicher Parallelität gestaltet: Hier wie dort eine nächtliche Szenerie; der Reflektierende blickt aus dem Fenster, aber nicht ins Freie, in die Klarheit, sondern in ein undurchdringliches Dunkel; er unternimmt den Versuch der Selbstrechtfertigung, der aber die Selbstanklagen nicht ganz unterdrükken kann; er äußert seine Gefühle in expressiven Bildern und Vorstellungen; und er endet, indem er seine eigene Rolle in der Geschichte an dem Handeln Christi mißt.

Parallelität der Danton-Szene II, 5 mit der Robespierre-Szene I, 6

Danton ist belastet durch die ‚Septembermorde', die sein Unterbewußtsein als „garstige Sünden" verurteilt. Als sein gequältes Stöhnen Julie herbeiruft, beschreibt Danton ihr seine Vision: Er sei auf der Erdkugel geritten wie auf einem wilden Roß, „mit riesigen Gliedern" sie beherrschend; dann aber (die Darstellung ‚kippt' plötzlich um, ohne logischen Übergang) sei er kopfabwärts geschleift worden, „die Haare flatternd über dem Abgrund". Das ist eine Deutung der Situation des Revolutionärs (etwa

Gewissensbeunruhigung Dantons wegen der ‚Septembermorde'

Vision des Geschleift-Werdens

des Hauptakteurs jener Septemberereignisse), der glaubt, etwas in Bewegung setzen und beherrschen zu können, der dann aber von den Ereignissen hilflos überrollt wird.

Rechtfertigung der ,Septembermorde'

Gemeinsam versuchen Danton und Julie nun, Danton die Fakten ins Bewußtsein zurückzurufen, die die ,Septembermorde' zu einer Notwendigkeit machten: die Bedrohung von außen, die den „Krieg nach innen" forderte; – bis Danton zu der Sicherheit zurückfindet: „Das war Notwehr, wir mußten."

Doch diese Sicherheit hilft ihm nichts; denn dahinter erhebt sich ja die Frage, wodurch denn dies ,Müssen' veranlaßt war und ist. Und hier nimmt nun auch Danton Bezug auf den „Mann am Kreuze", wobei er sich jedoch charakteristischerweise nicht, wie Robespierre, mit dem Erlöser vergleicht, sondern vielmehr mit dem ,Bösen' in der Passionsgeschichte,

Dantons Verurteilt-Sein zum Schuldig-Werden

mit Judas, von dem Christus gesagt hat: „Es muß ja Ärgernis kommen" (damit das Heils- und Erlösungsgeschehen seinen Weg nehmen kann – bzw. die von der Revolution gestiftete Freiheit fortbestehen kann); „doch wehe dem, durch welchen Ärgernis kommt" (also dem Verräter Judas bzw. dem ,September-Mörder'). Damit habe Christus „sich's bequem gemacht"; denn wer oder was dieses „Muß" und eben auch den „Fluch des Muß" verursacht (und also auch die Verantwortung dafür übernehmen sollte), ist damit ja nicht geklärt.

Danton endet mit dem resignierenden Ergebnis, daß der Mensch nur eine Marionette in den Händen un-

Das Bild von der Marionette

ergründlicher Mächte sei: „Puppen sind wir, von unbekannten Gewalten am Draht gezogen; nichts, nichts wir selbst!" Wenn er dann am Schluß der Szene erklärt, jetzt sei er ruhig, so klingt das nach dem verzweifelten Ringen und angesichts des zweifelhaften Ergebnisses dieses Ringens nicht recht überzeugend; es scheint eher Resignation als Sicherheit gemeint zu sein.

II, 6 – Straße vor Dantons Haus: Dantons Verhaftung

Mit einem brutalen Stimmungsumschlag gestaltet Büchner nach diesem Fragen nach den letzten Ursachen menschlichen Handelns das Eindringen des Verhaftungstrupps in Dantons Haus als komische Szene. Der Trupp wird von Simon geführt, der sich wieder in seinem grotesk überzogenen Pathos ergeht; und die Bürgersoldaten, die ihn begleiten, necken ihn und sich gegenseitig mit zotigen Anspielungen.

Harter Szenenumbruch:

Komischer Auftritt des Verhaftungskommandos

Die sarkastische Dissonanz dieser Darstellung scheint den Zuschauer darauf aufmerksam zu machen, daß er Danton in diesem Moment kritischer Selbstbefragung weniger als je die Verhaftung wünscht; – und daß die Kompetenz der Leute, die über ihn urteilen wollen, höchst zweifelhaft ist.

II, 7 – Der Nationalkonvent

Den Abschluß des II. Aktes bildet eine Sitzung des Nationalkonvents am Tag nach der Verhaftung der Dantonisten. (Mit Danton sind auch Camille, Lacroix und Philippeau festgenommen worden. Hérault war schon vorher verhaftet.)

Legendre (der schon in I, 3 für die Dantonisten eingetreten war) versucht den Antrag durchzubringen, die Verhafteten als Mitglieder des Nationalkonvents vor dessen Schranken zu hören; zur weiteren Begründung verweist er auf die Verdienste Dantons und deutet die Möglichkeit von „Privatleidenschaften" beim Wohlfahrtsausschuß an. Der Vorschlag Legendres, der die bestehenden Rechtsverhältnisse ändern würde, erregt bei den Deputierten eine heftige Debatte: Wird da eine berechtigte parlamentarische Immunität gefordert (wie wir sagen würden), oder geht es um republikfeindliche Privilegien?

Antrag Legendres zur Rettung der Dantonisten

Nachdem er den Streit unter den Abgeordneten eine Weile hat toben lassen, greift **Robespierre** ein und weist den Antrag Legendres in großer Rede zurück:

▶ Er vergleicht Danton mit anderen Revolutionären, denen man früher schon das jetzt wieder gefor-

Rede Robespierres:

Zurückweisung des Antrags

derte Vorrecht verweigert hat, und lehnt eine Sonderstellung Dantons entschieden ab. Zudem zieht er – im Gegenstoß gegen Legendres Verdacht der „Privatleidenschaften" – die Würde und moralische Integrität der Dantonisten in Zweifel.

▶ Den Vorwurf, der Wohlfahrtsausschuß mißbrauche seine Macht, versucht Robespierre mit wohlklingenden, aber schwach fundierten Phrasen zurückzuweisen – die freilich bei den Abgeordneten „allgemeinen Beifall" finden. Etwa: Das den Ausschußmitgliedern übertragene Vertrauen sei „eine sichre Garantie ihres Patriotismus" (als ob man Vertrauen nicht mißbrauchen könnte); oder: „Nie zittert die Unschuld vor der öffentlichen Wachsamkeit" (das ist dieselbe Selbstsicherheit, die Robespierre I, 6 im Streit mit Danton erklären ließ, es sei kein Unschuldiger getroffen worden).

▶ Persönliche Motive will Robespierre nicht gelten lassen: weder „die Erinnerung an eine alte Verbindung" (mit Camille) noch die Drohung, „daß die Gefahr, indem sie sich Danton nähere, auch bis zu [ihm] dringen könne".

▶ Und so fordert er die Ablehnung von Legendres Vorschlag, darüber hinaus aber eigentlich auch schon die Verurteilung der Dantonisten.

Robespierre erhält ungeteilte Zustimmung; es ist **Rede Saint-Justs:** also eigentlich überflüssig, daß nun auch **Saint-Just** eine große Rede anschließt. Tatsächlich zielt diese Rede auch weniger auf den aktuellen Anlaß, sondern erhebt sich über die ‚niedere Tagespolitik' zu so etwas wie einem ‚Glaubensbekenntnnis der jakobinischen Revolution'. Besonders deutlich wird dieser **‚Glaubensbekenntnis der jakobinischen Revolution'** Charakter der Rede durch die Reaktion der Anwesenden (am Schluß der Szene): „Langer, anhaltender Beifall. Einige Mitglieder erheben sich im Enthusiasmus. [...] Die Zuhörer und die Deputierten stimmen die Marseillaise an."

Während in Robespierres Äußerungen stets der moralische Ansatz, die Tugendideologie Rousseaus, durchscheint, entwickelt St. Just die Grundsätze der Revolution sozusagen auf naturgeschichtlicher **– Naturgesetzlichkeit der Revolution** Basis:

▶ „Die Natur folgt ruhig und unwiderstehlich ihren Gesetzen, der Mensch wird vernichtet, wo er mit ihnen in Konflikt kommt", z. B. bei Erdbeben, Vulkanausbrüchen, Überschwemmungen. „Soll die moralische Natur in ihren Revolutionen mehr Rücksicht nehmen, als die physische? Soll eine Idee nicht eben so gut wie ein Gesetz der Physik vernichten dürfen, was sich ihr widersetzt?" Dabei sind die Revolutionäre das Werkzeug, dessen sich der „Weltgeist" bedient. Ob die Opfer an einer Seuche oder an der Revolution sterben, ist gleichgültig.

▶ Die Entwicklung der Menschheit schreitet normalerweise langsam voran; die einfachen Erfindungen haben große Opfer gefordert. Eine Zeit (wie die der Revolution), in der „der Gang der Geschichte rascher ist", erfordert naturgemäß mehr Opfer.

– Notwendigkeit von Opfern

▶ Grundsatz der Revolution ist die Gleichheit aller, ohne Vorrechte für einzelne Personen oder Klassen. Die Durchsetzung dieses Grundsatzes hat Leichen zurückgelassen, und es werden auch noch mehr Leichen zurückbleiben. „Moses führte sein Volk durch das Rote Meer und in die Wüste, bis die alte verdorbne Generation sich aufgerieben hatte": „wir haben den Krieg und die Guillotine".

▶ Am Schluß wird die Rede immer stärker zu einer Prophetie, die die Verjüngung und völlige Neuschöpfung der Menschheit durch ein ungeheures Blutvergießen (eine „Sündflut") verheißt. (Wenn St. Just die Töchter des Pelias zitiert, die ihren Vater zerstückten, um ihn in einem Blutkessel zu verjüngen, so übersieht er dabei – Absicht oder Versehen Büchners? –, daß das Experiment der Pelias-Töchter *nicht* gelang!)

– Prophezeiung einer Menschheitserneuerung

Mit der Apotheose der menschheitserneuernden Revolution in der Rede St. Justs und mit dem Enthusiasmus der Revolutionäre endet der II. Akt und damit der ‚Revolutions-Teil' des Dramas. Der III. und IV. Akt zeigen die Kehrseite, das bedrückende Resultat des revolutionären Pathos: Gefängnisse, Verhöre, Hinrichtungen.

Allgemeiner Enthusiasmus des Konvents

Der dritte Akt:
Die Gefängnisse und die Verhöre

Im III. Akt wechseln in fast regelmäßiger Abfolge Szenen, die in den Gefängnissen spielen (1, 3, 5, 7), mit solchen, die die Gegenwelt darstellen: das Revolutionstribunal, die Verhöre, den Wohlfahrtsausschuß (2, 4, 6, 8/9). Den Abschluß bildet eine Volksszene, die den Ausgang des Prozesses vorausnehmend abbildet (10).

III, 1 – Das Luxembourg. Ein Saal mit Gefangenen

**Philosophische
Erörterung
der Gefangenen**

Die 1. Szene beginnt, noch vor Einlieferung der verhafteten Dantonisten, mit einem langen philosophischen Gespräch, in dem Payne seinem Mitgefangenen Chaumette auf dessen Bitten hin beweist, daß es keinen Gott gibt (Chaumette fürchtet einen Gott, der die Menschen nach ihrem Tod richten könnte). In dieses Gespräch greifen auch Mercier und Hérault ein.

Payne ist ein Engländer, der sich praktisch und literarisch im amerikanischen Unabhängigkeitskrieg engagiert hat; er erhielt das französische Bürgerrecht und wurde girondistischer Deputierter. Als solcher ist er jetzt verhaftet; – ebenso wie *Mercier*, ein Schriftsteller, dessen Erinnerungen an die Revolutions- und Gefängniszeit Büchner als eine seiner Quellen benutzt hat.

Dagegen gehört *Chaumette*, der Prokurator der Pariser Commune, auf die radikale Seite; er unterstützte u. a. die Entchristianisierungsbestrebungen und arrangierte das ,Tedeum der Vernunft' in Notre-Dame. Als erklärter Atheist legte er sich den Namen des altgriechischen Philosophen Anaxagoras bei, der wegen Gottlosigkeit verurteilt und aus Athen verbannt worden war. Chaumette ist als den Hébertisten nahestehend in Haft.

Hérault ist bereits in I, 1 als Danton-Freund eingeführt worden; er ist vor den anderen Dantonisten verhaftet worden.

Die Auswahl und Zusammenstellung dieser Gefangenen läßt etwas von der Vielfalt der revolutionären

Bestrebungen ahnen, die jetzt alle der ‚terreur'-Politik zum Opfer fallen. – In dem Versuch, die Nicht-Existenz Gottes zu beweisen, werden die geistesgeschichtlichen Voraussetzungen der Französischen Revolution gespiegelt: das Bestreben der Aufklärung, den Menschen von überlieferten Autoritäten (sei es die Kirche oder Gott, seien es Monarchie und Aristokratie) zu emanzipieren und ihn zu einem selbstverantwortlichen, im Sinne Kants „mündigen" Wesen zu machen. – Daß die Anti-Gottesbeweise dieses Gesprächs auf das Problem des Leidens und des Sinns menschlichen Handelns hinauslaufen, führt direkt in die Atmosphäre der ‚Gefängnis-Akte' des Dramas ein.

Das philosophische Gespräch als Einführung in die Gefängnis-Atmosphäre

Payne also (der in diesem ‚Philosophengespräch' die dominierende Rolle hat, obwohl er im weiteren dann nicht mehr vorkommt) versucht die Nicht-Existenz Gottes ganz in der Art der traditionellen Gottesbeweise zu demonstrieren, indem er von den Vorstellungen, die der Mensch sich von Gott macht, auf deren Realität schließt; z. B.: Wenn Gott irgendwann plötzlich tätig geworden wäre, um die Welt zu erschaffen, dann ließen sich die Begriffe Zeit und Veränderung auf Gott anwenden, „*was beides gegen das Wesen Gottes streitet*" (tatsächlich streitet es nur gegen unsere *Vorstellung* vom Wesen Gottes!).

Paynes Beweise für die Nicht-Existenz Gottes

(Unhaltbarkeit solcher Beweisführung)

Im Gespräch mit Chaumette, dann vor allem Mercier und zuletzt Hérault werden von Payne die folgenden Thesen vertreten:

▶ Gott kann die Welt nicht erschaffen haben; sie ist aber vorhanden; also gibt es keinen Gott.

▶ Die Schöpfung kann nicht ewig sein, denn dann wäre sie keine *Schöpfung* Gottes.

▶ Eine pantheistische Vorstellung, daß Gott in allem sei, ist abwegig, denn sonst müßte Gott „in jedem von uns Zahnweh kriegen".

▶ Man kann nicht von einer „unvollkommenen Wirkung" (der Welt) auf eine „vollkommene Ursache" (Gott) schließen.

▶ Bei der folgenden Überlegung, ob nicht eine vollkommene Ursache (Gott) notwendigerweise nur eine weniger vollkommene Wirkung haben könne (weil sonst ja die Wirkung Gott gleich wäre), so daß die Welt unvollkommen sein *müsse*, stößt man auf

Das menschliche Leiden als „Fels des Atheismus"

das Problem des menschlichen Leidens. Das Böse ließe sich vielleicht noch wegdiskutieren; aber daß es den Schmerz gibt, könnte einem Schöpfergott nicht verziehen werden: „Warum leide ich? Das ist der Fels des Atheismus. Das leiseste Zucken des Schmerzes, und rege es sich nur in einem Atom, macht einen Riß in der Schöpfung von oben bis unten."

Epikureische Moralfreiheit

▶ Hinsichtlich der Moral (die ein Glaubender ja auf das Gebot Gottes zurückführen würde) kommt Payne zu demselben materialistisch-epikureischen ‚Glaubensbekenntnis' wie Danton in I, 6 (oder auch Marion in I, 5): „Ich weiß nicht, ob es an und für sich was Böses oder was Gutes gibt [. . .]. Ich handle meiner Natur gemäß; was ihr angemessen, ist für mich gut und ich tue es, und was ihr zuwider, ist für mich bös und ich tue es nicht und verteidige mich dagegen."

Einlieferung der verhafteten Dantonisten

Der philosophische Diskurs wird dadurch unterbrochen, daß die vier in dieser Nacht festgenommenen Dantonisten hereingeführt werden. Deren Verhaftung weckt bei Payne zwiespältige Gefühle (weil die Danton-Fraktion zwar bei der Liquidierung der Girondisten mitgewirkt hat, jetzt aber für alle Gemäßigten die einzige Hoffnung gewesen wäre). An-

Reaktion der Mitgefangenen

dere Gefangene, besonders der Girondist Mercier, begegnen den neu Angekommenen mit höhnischen, z. T. auch haßerfüllten Kommentaren, – bis sich eine freundlichere Stimmung durchsetzt, als einer der Gefangenen darauf hinweist, daß Camille es ja war, der (in seiner Zeitung) „das Wort Erbarmen gesprochen" hat.

Haltung der Dantonisten

Die Dantonisten bleiben auch nach der Verhaftung bei ihrer bisherigen Haltung. Lacroix tadelt Dantons Tatenlosigkeit; dieser rechtfertigt seine ‚Faulheit' mit der Sinnlosigkeit des Lebens; und Hérault führt die Stimmung Dantons in leichtfertigem Konversationston fort. Der Gefühlen stets viel zugänglichere

Betroffenheit Camilles

Camille jedoch lehnt sich gegen Dantons Tonfall auf: „Du magst die Zunge noch so weit zum Hals heraushängen, du kannst dir damit doch nicht den Todesschweiß von der Stirne lecken." Und die Fortsetzung – „O Lucile! das ist ein großer Jammer!" – zeigt, daß seine Verzweiflung ebensosehr

durch den Gedanken an Lucile hervorgerufen ist
wie durch die Aussicht des eigenen Sterbens.

III, 2 – Ein Zimmer: Machenschaften des Revolutionstribunals

Auf der Gegenseite sieht man indessen das Revolutionstribunal intrigieren: Der öffentliche Ankläger
Fouquier und Herrmann, der Präsident des Revolutionstribunals, besprechen, mit welchen Tricks man
die Verurteilung Dantons und seiner Anhänger
sicherstellen könne. Für den Fall, daß die geschickte
Zusammengruppierung ganz verschiedenartiger
Angeklagter nicht ausreicht, will man die Geschwo-
renen des Gerichts nicht legal auslosen, sondern
zweckentsprechend auswählen.

Intrigen des Revolutionstribunals

III, 3 – Die Conciergerie. Ein Korridor [mit Gefangenen]:
Frage nach der Verantwortlichkeit der Dantonisten für die Opfer

Ein Blick in die Conciergerie (das Pariser Unter-
suchungsgefängnis, die ‚Vorhölle der Guillotine‘)
veranschaulicht die Schrecken, die die Revolution
mit sich bringt, vor allem die Revolution, wie sie von
den eben gezeigten Vertretern des Revolutionstribunals betrieben wird. Lacroix entsetzt sich über die
Zahl der Opfer und das Ausmaß ihres Elends; Mercier (wie in III, 1 erbitterter Ankläger der Dantonisten) hält ihm vor, daß all dieses Elend nur die Verkörperung der – bis vor kurzem auch von der Danton-Fraktion verkündeten – revolutionären Phrasen
sei. – Danton selbst versucht, seinen Anteil an der
Schuld zu begrenzen: seine Absicht bei der Einrichtung des Revolutionstribunals war es gerade, neue
willkürliche Tötungen nach Art der – von ihm mit-
zuverantwortenden – ‚Septembermorde‘ zu verhindern. Daß das Revolutionstribunal anderen Zwek-
ken dienstbar gemacht wurde, ist nicht seine Schuld
und kostet jetzt auch ihn selbst das Leben.

Vorwürfe Merciers gegen die Revolutionäre

Rechtfertigung Dantons

III, 4 – Das Revolutionstribunal: Das erste Verhör Dantons

Dantons Selbstdarstellung: zwischen „Nichts" und „Pantheon der Geschichte"

Gleich zu Prozeßbeginn wird eine zwiespältige Reaktion Dantons auf das Verfahren deutlich: einerseits die Gleichgültigkeit gegenüber dem Urteil und die Todesgewißheit (die Gewißheit, ins „Nichts" einzugehen: der Begriff des „Nichts" wird angesichts des Todes in Dantons Denken immer wichtiger); – andererseits aber dann doch die entschiedene Betonung der besonderen Verdienste, die er sich um die Revolution erworben hat: – „Meine Wohnung ist bald im *Nichts* und mein Name im *Pantheon der Geschichte.*"

Die Anklage gegen Danton

Herrmann, der Präsident des Revolutionstribunals, zitiert die Anklage (die von St. Just formuliert worden ist): Konspiration mit den konterrevolutionären royalistischen Kräften (die Namen, die genannt werden, stehen alle für Versuche, einen Ausgleich mit dem Königtum herzustellen oder die Monarchie wieder einzuführen). Danton weist diese Anschuldigungen empört als Verleumdungen zurück, fordert die Vorladung der Ausschüsse (Wohlfahrts- und Sicherheitsausschuß) als Kläger und Zeugen und beruft sich auf sein ganzes Leben als Kämpfer für die Freiheit, auf seine Taten für die Revolution, die er (in einem Kompromiß mit der II, 5 entwickelten Vorstellung von der durch unbekannte Gewalten gelenkten Marionette) als zwar schicksalsbestimmt, aber so doch nur von ihm durchführbar begreift: „Das Schicksal führt uns den Arm, aber nur gewaltige Naturen sind seine Organe." Erregt durch die Einsprüche des Präsidenten, zählt er in immer leidenschaftlicher werdender Rhetorik seine Verdienste um die Revolution auf: die Massendemonstration auf dem Marsfeld zur Abschaffung des Königtums im Juli 1791; die Hinrichtung Ludwigs XVI. am 21. Januar 1793; – und die ‚Septembermorde', die hier – anders als in II, 5 und auch noch eben in III, 3 – positiv gesehen werden, – allerdings mit etwas überanstrengt rhetorischen Metaphern der Gewalttätigkeit: „Ich habe im September die junge Brut der Revolution mit den zerstückten Leichen der Aristokraten geätzt. [...]."

Verteidigung Dantons:

Berufung auf seine revolutionären Taten

Wegen des ständig zunehmenden Beifalls für Danton hält es der Präsident für angebracht, den Prozeß zu unterbrechen.

III, 5 – Das Luxembourg. Ein Kerker: Der Ausbruchsplan Dillons und der Verrat Laflottes

Dem girondistischen General Dillon wird im Kerker eine Mitteilung zugespielt, wie ungeheuer Dantons Auftreten vor Gericht auf das Volk gewirkt hat. Der angetrunkene und deshalb leichtsinnige General entwickelt daraufhin den Plan, Dantons und Camilles Weiber sollten (Papier-)Geld unter das Volk streuen, und dann werde er, gestützt auf „alte Soldaten, Girondisten, Exadlige", einen Ausbruch machen, die Gemäßigten befreien und die Dezemvirn stürzen.

Ausbruchsplan des Gefangenen Generals Dillon

Dillons Mitgefangener Laflotte entschließt sich, diesen Plan zu verraten, um sich dadurch selbst zu retten. (Bei Laflottes Abwägen zwischen Selbsterhaltung und „Schufterei" erscheinen Philosopheme Dantons und Paynes in zynischer Persiflage: „Der Schmerz ist die einzige Sünde und das Leiden ist das einzige Laster, *ich werde tugendhaft bleiben*" [indem ich mich durch Verrat rette!].)

Entschluß des Mitgefangenen Laflotte zum Verrat; seine Philosopheme

III, 6 – Der Wohlfahrtsausschuß

Die Szene III, 6 charakterisiert und desavouiert das Handeln, das Denken und die Motive der Robespierre-Fraktion, die durch die Wohlfahrtsausschuß-Mitglieder Barrère, Collot, Billaud und zeitweise auch St. Just vertreten ist. Durchgehend anwesend ist als für die Aussage wichtigste Figur Barrère; im übrigen ist die Szene durch mehrfachen Personenwechsel in fünf Teil-Szenen gegliedert.

Der Wohlfahrtsausschuß bei der Arbeit:

St. Just berichtet über das zweite Verhör (das also inzwischen stattgefunden hat) und das noch größere Aufsehen, das Danton und sein Appellieren an das Volk dabei erregt hat. Während Robespierre, wie

Nachricht über Dantons Auftreten beim Prozeß

man hört, in tatenlosem Schweigen verharrt, ist St. Just unerbittlich entschlossen, die Dantonisten zu liquidieren.

Grausame Bescheide auf Bittschriften

Billaud und Collot beantworten während einer kurzen Abwesenheit St. Justs mit zynischer Grausamkeit Bittschriften aus den Gefängnissen; etwa so: „Bürgerin, es ist noch nicht lange genug, daß du den Tod wünschest" (was Barrère nachher in seinem selbstkritischen Monolog im fünften Szenenteil kommentiert: „Diese Worte hätten die Zunge müssen verdorren machen, die sie gesprochen").

St. Justs Plan einer Verschärfung der Prozeßordnung

St. Just hat eben die Anzeige Laflottes über eine Konspiration in den Gefängnissen erhalten; er wird sie – auch wenn es sich dabei wohl um „Märchen" handelt, wie Barrère einwendet – zur Durchsetzung einer verschärften Prozeßordnung des Revolutionstribunals benutzen, die Danton zu Fall bringen soll und wird. Collot und auch Barrère unterstützen sein Vorhaben mit revolutionär-pathetischen Phrasen.

‚Lasterhaftigkeit' der Wohlfahrtsausschußmitglieder

Nachdem St. Just gegangen ist, erweisen sich Barrère, Billaud und Collot als „Spitzbuben", die den Wohlfahrtsausschuß nur für ihre persönlichen Zwecke nutzen, ohne mit den Zielen oder gar mit den Tugendprinzipien Robespierres übereinzustimmen. Anknüpfend daran, daß St. Just eben für das Guillotinieren das Wort „Kur" gebraucht hat, empört sich Barrère, daß Robespierre gar nicht gegen die Gemäßigten kämpfe, sondern gegen das Laster. Barrère hat einen persönlichen Grund für diese Empörung, denn er nimmt an den Ausschweifungen in dem Revolutions-Luxusort Clichy teil, hat sich dabei auch die Lustseuche zugezogen. Aber auch zwischen den anderen Dezemvirn und Robespierre deuten sich Spannungen an, die so weit gehen, daß sogar dessen Beseitigung für die Zukunft ins Auge gefaßt

Drohungen der Parteigänger gegen Robespierre

wird (Billaud: *Bis jetzt* geht unser Weg zusammen"; Collot: auf der Guillotine, die Robespierre zum Katheder oder Betschemel machen will, soll er zuletzt nicht stehen, sondern – zur Hinrichtung – liegen.)

Selbstkritische Reflexion Barrères

Allein zurückgeblieben, distanziert sich Barrère in einem Monolog zunächst von der Grausamkeit seiner ‚Parteifreunde' und legt sich dann selbstkritisch Rechenschaft über sein eigenes Handeln ab; er versucht, sein Gewissen über die opportunistische Beteiligung an den Grausamkeiten der Dezemvirn zu beruhigen. (Er hat dabei mitgemacht, weil er sich als Verdächtiger in Lebensgefahr glaubte; aber ist das ein hinreichender Grund?)

III, 7 – Die Conciergerie:
Die Dantonisten angesichts des Todes (I)

Die Gefängnisszene III, 7 ist die erste von drei Szenen, die Haltung und Bewußtsein Dantons und seiner Freunde angesichts des näherrückenden Todes zeigen. Die erste der drei Szenen gestaltet die Todesgewißheit in Anbetracht der immer deutlicher sich abzeichnenden Verurteilung und das Zurückschaudern vor dem Tod, zumal vor diesem langsamen, aber unaufhaltsamen, „mechanischen" Herannahen des Todes. Das Schaudern vor dem Tod wird von Lacroix, Camille und Danton mit nur leichten Nuancierungen formuliert; nur Philippeau tröstet sich damit, daß ihr Tod einen in die Zukunft weisenden Sinn haben könnte.

Zurückschaudern vor dem Sterben

Gegen diese Vorstellung empört sich Danton; denn was er wünscht, ist ewige und endgültige Ruhe: die Ruhe, die im „Nichts" ist. Doch – anders als beim Verhör III, 4, wo er sich sicher glaubte, bald im Nichts zu wohnen – weiß er hier, daß er diese Ruhe nicht finden, daß er nicht ins Nichts eingehen kann.

Dantons Sehnsucht nach dem Nichts,

Denn für ihn als (atheistischen) Materialisten gilt der „verfluchte Satz: etwas kann nicht zu Nichts werden"; „und ich bin etwas, das ist der Jammer". Und in Weiterführung dieser Vorstellung findet er für sein Leiden unter der Sinnlosigkeit des Lebens (bzw. des Seins oder der „Schöpfung") und unter der Unerreichbarkeit einer Erlösung (d. h. der Ruhe, also des Nichts) das Bild von dem Nichts, das an der Wunde der Schöpfung, die es sich selbst zugefügt hat, zugrunde geht: „Das Nichts hat sich ermordet, die Schöpfung ist seine Wunde, wir sind seine Blutstropfen, die Welt ist das Grab worin es [nämlich das Nichts!] fault."

das aber unerreichbar ist:

„Das Nichts hat sich ermordet"

Camille nimmt diese Vorstellung auf („O nicht sterben können [. . .]"); und Danton bestätigt sie noch einmal. Doch dann schlagen seine Gedanken plötzlich um: Er muß sich eingestehen, daß er doch irgendwie am Leben hängt („ich bin gerad' einmal an diese Art des Faulens gewöhnt"); und vor allem beschäftigt ihn der Gedanke an Julie und die Hoffnung, daß sie ihn nicht allein gehen läßt; – daß sie ihn im Tod allein lassen könnte, ist ihm ein unerträglicher Gedanke. (Es ist das erstemal, daß Danton seine Beziehung zu einem anderen so deutlich sich eingesteht und ausspricht – in einer Art, die sonst eher Camille eigen ist.)

Dantons Denken an Julie

Am Ende der Szene ist Danton nicht bereit zum Sterben; er wird weiter kämpfen. Die letzten Szenen des III. Aktes zeigen den Ausgang dieses Kampfes.

III, 8–9 – Ein Zimmer / Das Revolutionstribunal: Das letzte Verhör

Die verschärfte neue Prozeßordnung

Amar und Vouland, Mitglieder des Sicherheitsausschusses, übergeben dem öffentlichen Ankläger Fouquier die neue, verschärfte Prozeßordnung (die St. Just in III, 6 angekündigt hat).

Etwa gleichzeitig damit ist der Anfang der Gerichtsszene III, 9 zu denken; denn Danton nutzt die durch die Ratlosigkeit des Revolutionstribunals entstandene Verwirrung zu einem Angriff gegen die Machenschaften seiner Feinde. Doch dann bringt Fouquier, begleitet von Amar und Vouland, die neue, eben vom Konvent beschlossene Prozeßordnung, die im Fall von Unruhen den Ausschluß der Angeklagten erlaubt.

Camilles Sorge um Lucile

Camille reagiert mit persönlicher Betroffenheit, weil er für Luciles Leben fürchtet (gemäß Laflottes Denunziation werden in der Begründung der Neuordnung Lucile und Julie der Bestechung des Volkes beschuldigt). Danton jedoch steigert sich zu einer letzten großen Rede, die so etwas wie sein politisches Testament ist: „Ich sehe großes Unglück über Frankreich hereinbrechen"; er klagt Robespierre und St. Just des Hochverrats an und wirft ihnen vor,

Dantons ,politisches Testament';

sie wollten die Republik im Blut ersticken, seien aber unfähig, dem Volk Brot zu verschaffen.
In einer tumultuarischen Szene, in der Danton allgemein Beifall erhält, werden die Gefangenen gemäß der neuen Prozeßordnung abgeführt.

Hochverrats-Vorwurf gegen Robespierre

III, 10 – Platz vor dem Justizpalast: Die Entscheidung der Volksmassen

Wie drinnen im Gerichtssaal, so neigt sich auch draußen vor dem Justizpalast die allgemeine Volksstimmung zunächst Danton zu. Als dann von verschiedenen Stimmen die Positionen Dantons und Robespierres konträr gegeneinandergestellt werden, entscheidet der Hinweis auf Dantons Luxusleben und Robespierres Tugendhaftigkeit: Das Volk wendet sich (endgültig) von Danton ab. (Dieser Stimmungsumschlag ist die Voraussetzung für die Durchführbarkeit des sicheren Todesurteils.)

Wechsel der Volksgunst von Danton zu Robespierre aufgrund des Lebensstils

Der vierte Akt: Die Hinrichtung und der Tod der Frauen

Der IV. Akt zeigt den Weg Dantons und seiner Freunde zum Schafott. Er beginnt jedoch mit einer Szene Julies; und das Drama endet damit, daß Lucile ihrem Mann in den Tod folgt. Und um die zentrale Szene vor dem Abtransport zur Guillotine (IV, 5) gruppieren sich die Wahnsinns-Szene Luciles (IV, 4) und der Selbstmord Julies (IV, 6). Durch diese Szenenanordnung erhält das Schicksal und die Treue Julies und Luciles einen starken Akzent.

Struktur des IV. Akts

IV, 1–2 – Ein Zimmer [bei Julie] / Eine Straße

Zwei ganze gegensätzliche Miniaturen eröffnen den vierten Akt. In der ersten Szene gibt Julie einem Knaben eine Locke für Danton und übermittelt

Julies Entschluß, mit Danton zu sterben

ihm die Nachricht, daß er „nicht allein gehn"
werde.

**Dumas, der
Revolutionär mit
dem ‚Tiger-Sinn'**

In schneidendem Kontrast zu diesem Treuegelöbnis
Julies steht die Straßen-Skizze: Dumas, einer der
Präsidenten des Revolutionstribunals, enthüllt im
Gespräch mit einem Bürger seinen zynischen ‚Tiger-
Sinn': er wird die Guillotine benutzen, um sich von
seiner Frau ‚scheiden' zu lassen, und er kleidet dieses Vorgehen auch noch in die Phrasen antikisieren-
der Revolutions-Rhetorik. (Nebenher erfährt man
hier, daß das Urteil gegen die Dantonisten inzwischen ergangen ist.)

IV, 3 – Die Conciergerie:
Die Dantonisten angesichts des Todes (II)

**Die Nacht vor
der Hinrichtung**

Die dritte Szene führt wieder in die Gefängnisse: sie
zeigt Danton und seine Freunde in der Nacht vor
ihrer Hinrichtung. Nach einem kurzen einleitenden
Geplänkel zwischen Lacroix und Hérault, die sich
ein Bett teilen müssen, gehört der Rest der Szene
ganz Camille und Danton und zeigt den Zusammenbruch der Haltung beider; beide kommen zu dem
Ergebnis: „es ist so elend sterben müssen".

**Camilles Sorge
um Lucile**

Camille wird mehr noch als von dem eigenen Todes-
grauen von der Sorge um Lucile umgetrieben. Es ist
für ihn unvorstellbar, daß jemand, den er so liebt,
grausam getötet werden könnte. (Dieser Sorge Camilles korrespondiert am Ende Luciles Totenklage,
in der sie Camilles Tod mühsam zu begreifen versucht, IV, 8.) – Aber auch der eigene Tod erscheint
Camille gräßlich und sinnlos; und er klammert sich
an „die letzten Blicke" des Lebens.

**Dantons Monolog
angesichts
des Todes:**

Nachdem Danton den Freund beruhigt hat, formuliert er in einem großen Monolog seine eigenen einander teilweise widerstreitenden Gedanken angesichts des Todes. Über die bedrängende Vorstellung
eines unaufhaltsamen Eingeschlossenwerdens ver-

**– lebensvernei-
nende Zynismen**

sucht er hinwegzukommen, indem er mit zynischer
Brutalität ausspricht, wie es morgen um ihn und seinen „lieben Leib" bestellt sein wird. Doch er muß
sich eingestehen, daß ihm dieser lebensverneinende
Zynismus nichts hilft, daß er vielmehr Camille recht

geben muß: „Ja wohl, 's ist so elend sterben müssen". Nach einem Blick auf den schlafenden Freund wendet er dann seine Gedanken Julie zu: er dankt ihr, daß sie mit ihm sterben will. Doch sofort fällt er wieder zurück in eine Klage über das Verzweifelte des Sterbens und die dem Menschen auch im Tod versagte Mühelosigkeit. Und durchs Fenster in die Nacht blickend, formuliert Danton, gewissermaßen als Ergebnis seines Reflektierens, seine Überzeugung von dem beklagenswerten Zustand der Welt – im Gegensatz zu den vorangegangenen Zynismen diesmal in einem hochpoetischen Bild (das eben wegen seiner poetischen Schönheit auch so etwas wie Trost zu enthalten scheint, übrigens auch deshalb, weil es ein Wesen voraussetzt, das den trostlosen Zustand beklagt): „Wie schimmernde Tränen sind die Sterne durch die Nacht gesprengt, es muß ein großer Jammer in dem Aug sein, von dem sie abträufelten."

– Eingeständnis, daß Sterben-Müssen „elend" sei
– Gedanke an Julie

– Klage über die Unvollkommenheit des Menschen

Dann erwacht Camille von dem entsetzlichen Alptraum, daß er „wie ein Ertrinkender unter der Eisdecke" eingeschlossen sei (diese Schreckensvision korrespondiert mit Dantons Vorstellung von den immer enger sich zusammenschiebenden Wänden). Danton versucht den Freund zu beruhigen; und um nicht von Angstträumen gejagt zu werden, greifen beide zu einer Lektüre für die letzte Nacht. Camille, bei dem der Einbruch der Todesangst wesentlich tiefer gegangen ist, nimmt E. Youngs empfindsam-erbauliche ‚Nachtgedanken', während Danton sich über die Sinnlosigkeit von Leben und Sterben mit der leichtfertig-ironischen ‚Pucelle d'Orléans' Voltaires hinwegsetzt (einem parodistischen antiklerikalen Epos über die Jungfrau von Orléans).

Camilles Alptraum von der Eisdecke

IV, 4 – Platz vor der Conciergerie

Am nächsten Tag fahren vor dem Gefängnis die Karren vor, die die Verurteilten zur Guillotine schaffen sollen. Die Szene ist mit derber Komik gestaltet (ähnlich wie die Verhaftung Dantons, II, 6): ein Geplänkel zwischen den Fuhrleuten, dem Gefängniswärter und schaulustigen Weibern. Der zweite Teil der Szene bringt – in der von Büch-

Vorfahrt der Hinrichtungskarren

ner wiederholt angewandten Technik – einen krassen Stimmungsumschlag, vom Grotesken zum Ergreifenden: Vor dem Gefängnis erscheint Lucile, die vor Schmerz wahnsinnig geworden ist, und phantasiert beim Anblick ihres Mannes hinter dem vergitterten Gefängnisfenster über Camille „mit dem langen Steinrock und der eisernen Maske vor dem Gesicht".

Phantasien der wahnsinnigen Lucile vor dem Gefängnis

IV, 5 – Die Conciergerie: Die Dantonisten angesichts des Todes (III)

Letzte Gedanken der Verurteilten

Ungefähr gleichzeitig formulieren drinnen in der Zelle die Verurteilten ihre letzten Gedanken und Gefühle. (Die Hinrichtung nachher ist ein ‚öffentlicher Auftritt‘, bei dem von den Verurteilten heroische Bonmots erwartet werden.) Die Szene beginnt mit einer Äußerung mitmenschlicher Zuwendung: Danton kümmert sich in diesen letzten Minuten um einen kranken Freund in der Nachbarzelle. Dann gibt er gegenüber Lacroix eine Einschätzung der politischen Lage (sie sei nach seinem Tod „in einer schrecklichen Verwirrung"), prophezeit den nahen Untergang Robespierres und spricht von seiner Gewißheit, daß seine revolutionären Taten nicht ohne Nachwirkung bleiben werden. – In dies Gespräch eingeschoben sind monologische Äußerungen Camilles, der an den politischen Überlegungen überhaupt keinen Anteil nimmt, sondern nur an das Leid seiner geliebten Lucile denkt.

Danton prophezeit den Sturz Robespierres

Camille denkt an Lucile

Hérault – der in den letzten Szenen des Dramas zu immer eindrucksvollerer Haltung aufwächst – verweist Danton die zuletzt geäußerte Selbsteinschätzung als „Phrasen für die Nachwelt"; er zieht nun auch Camille ins Gespräch, der ihm beipflichtet: das Leben ist sinnlos, und es gibt auch keinen über den Tod hinausweisenden Sinn, auch nicht in Nachruhm oder Nachwirkung. Und als der fromme Philippeau von seinem Glauben an eine göttliche Weltordnung spricht (es gebe ein Ohr, für das alle Leidensschreie „ein Strom von Harmonien" seien), schreien Danton, Hérault und Camille abwechselnd in vielfachen Bildern ihre Frage nach dem verloren-

Protestschreie der Dantonisten gegen die Sinnlosigkeit des Leidens:

gegangenen Sinn des Lebens und ihren Protest gegen die Sinnlosigkeit des Leidens hinaus; – bis Danton schließlich als Ergebnis resümiert: „Die Welt ist das Chaos. Das Nichts ist der zu gebärende Weltgott."

„Die Welt ist das Chaos"

Dann kommt der Schließer und ruft die Gefangenen zur Abfahrt. Die Szene endet aber nicht mit diesem Ruf zum Tode, sondern – wie sie begonnen hat – mit dem Ausdruck mitmenschlicher Zuwendung: Die Freunde „umarmen einander", und Hérault nimmt den Arm des im Angesicht des Todes Schwächsten, Camilles: „Freue dich Camille, wir bekommen eine schöne Nacht."

Gesten menschlicher Zuwendung

IV, 6 – Ein Zimmer: Julies Tod

Als Julie am Verstummen des Geschreis der Schaulustigen, die den Karren zur Guillotine nachlaufen, erkennt, daß Dantons Todesstunde da ist, nimmt sie das bereitgehaltene Gift. Im Gegensatz zu den Schreien der sich gegen die Sinnlosigkeit auflehnenden Männer ist ihr Sterben verhalten, „leise"; sie willigt in ihren Tod ein: „Es ist so hübsch Abschied nehmen, ich habe die Türe nur noch hinter mir zuzuziehen."

Todesmonolog Julies

IV, 7 – Der Revolutionsplatz [mit der Guillotine]: Die Hinrichtung

Auf dem Revolutionsplatz macht schaulustiges, sansculottisch radikales Volk die Hinrichtung zu einer Art Volksfest: Als die Wagen mit den Verurteilten angefahren kommen, singen und tanzen die herbeigeströmten Männer und Weiber die Carmagnole, das radikal-plebejische Revolutionslied, – wogegen die Gefangenen das mehr offiziell-nationale Lied der Französischen Revolution setzen, die Marseillaise. Die Verurteilten werden von den Weibern verspottet und haben ein Wortgeplänkel mit ihnen zu bestehen. Danton mahnt Camille noch einmal zur Ruhe. Dann

Volksfestartiges Treiben auf dem Hinrichtungsplatz

besteigen die Dantonisten das Schafott, wobei ihre letzten Worte von der Menge kritisch kommentiert werden. Camille geht als erster, Danton – nach dem auch hier wieder sehr eindrucksvollen Hérault – als letzter. Am Schluß steht ein Ausdruck der Freundschaft: als der Henker Hérault hindert, Danton noch einmal zu umarmen, hält ihm dieser entgegen: „Kannst du verhindern, daß unsere Köpfe sich auf dem Boden des Korbes küssen?"

IV, 8–9 – Eine Straße / Der Revolutionsplatz: Luciles Ende

Währenddessen versucht Lucile, ziellos durch die Straßen irrend, zu begreifen, daß Camille sterben soll, während doch sonst „alles leben" darf. Von dem Protest gegen diesen Verlust („Die Erde müßte eine Wunde bekommen von dem Streich") gelangt sie am Ende zu einem resignierenden „Wir müssen's wohl leiden". Als einige Weiber die Gasse herunterkommen und die Hinrichtung kommentieren, muß sie sich eingestehen, daß ihr Camille nun tot ist.

Die Schlußszene zeigt noch einmal den Revolutionsplatz; zwei Henker sind damit beschäftigt, die Guillotine wieder in Ordnung zu bringen, wobei sie ungerührt ein derb-volkstümliches Lied singen. Dann

kommt Lucile und setzt sich auf die Stufen der Guillotine, die sie als „stillen Todesengel" anruft und als „Totenglocke, die du ihn mit deiner süßen Zunge zu Grabe sangst": auch sie akzeptiert jetzt den Tod, ähnlich wie vorher Julie. Auf dem Gerüst der Guillotine sitzend, singt sie das schwermütig-schicksalsbewußte Volkslied vom ‚Schnitter Tod': „hat Gewalt vom höchsten Gott".

Als eine Patrouille von Bürgersoldaten vorbeikommt, ruft Lucile in plötzlichem Entschluß: „Es lebe der König!", womit sie sich natürlich zum Tode verurteilt: Auch sie will, wie Julie, das Schicksal ihres Mannes teilen.

Zur Thematik von „Dantons Tod"

Die mannigfaltigen Themen, die in „Dantons Tod" gestaltet sind, lassen sich zu zwei großen Komplexen zusammenfassen: Das sind einerseits die Revolution, ihre Darstellung und Analyse, und damit verbunden das Verständnis geschichtlichen Geschehens überhaupt: der politisch-historische Problembereich also; und andererseits die philosophisch-existentielle Problematik: das Unglaubwürdig-Werden einer sinngebenden idealistischen Philosophie, die Erfahrung des Nihilismus und die persönliche Betroffenheit durch diese weltanschauliche Krise, die den einzelnen bis zur Handlungsunfähigkeit erschüttern und lähmen kann. Freilich lassen sich die beiden Themenbereiche nicht eindeutig trennen, da die verschiedenen Probleme in vielfältigen Beziehungen zueinander stehen: Die Erfahrung der Sinnlosigkeit der Welt, beispielsweise, ist aufs engste verknüpft mit dem Erleben und der Deutung des Verlaufs der Revolution, usw.

Themenbereiche:

– **die politisch-historische Problematik**

– **die philosophisch-existentielle Problematik**

Büchners Darstellung der Revolution

Bemerkenswerterweise zeigt Büchner die Revolution nicht in der Phase selbstgewissen Aufbruchs, sondern vielmehr in dem Moment, wo auch revolutionäre Aktivisten wie die Danton-Anhänger das Weiterlaufen des revolutionären Prozesses anhalten möchten: Der Augenblick des Fragwürdig-Werdens erscheint ihm der geeignete Zeitpunkt, um die Revolution auf ihre Triebkräfte und ihren Sinn zu untersuchen.

Die Dantonisten wollen mit dem Reformprogramm, das sie gleich in der ersten Szene formulieren (Reorganisation statt Revolution, Begnadigung der wegen politischer Meinungsverschiedenheiten aus dem Konvent Ausgeschlossenen usw.), keineswegs

Büchners Problemstellung durch die Wahl des Handlungs-Zeitpunkts

Absicht der Dantonisten: Anhalten, aber kein Annullieren der Revolution

die Revolution umkehren oder rückgängig machen; nirgends im Stück gibt es von seiten der Danton-Fraktion eine Stellungnahme gegen die Revolution; und Danton selbst bekennt sich in den Verhören eindeutig zu seinen Taten als Vorkämpfer der Revolution. Die Forderungen der Dantonisten zielen nur auf die Abwendung von Robespierres ‚terreur‘-Politik und auf die Rückkehr zu den am Anfang der Revolution verkündeten ‚Menschen- und Bürgerrechten‘. – Danton und seine Freunde stehen also zu den bisher erfolgten Umwälzungen, auch zu den dabei geschehenen Bluttaten; nur glauben sie nicht an Sinn und Berechtigung einer Weiterführung der Revolution und machen deshalb Front gegen eine Politik, bei der die Revolution zum Selbstzweck und damit zu unverantwortlichem Morden zu werden droht.

Unkontrollierbarkeit des revolutionären Prozesses

Der Untergang der Danton-Fraktion zeigt jedoch, daß sich der revolutionäre Prozeß auch von denen, die ihn in Gang gesetzt haben, nicht mehr stoppen oder auch nur kontrollieren läßt: Danton erfährt in seiner nächtlichen Vision II, 5, daß er nicht als stolzer Reiter das Roß der Geschichte bändigt, sondern daß er von den Umständen und Ereignissen hilflos über dem Abgrund geschleift wird.

Das soziale Elend als eine Triebkraft des revolutionären Prozesses

Zu den Verhältnissen, die stärker sind als das politische Wollen des einzelnen, gehört ganz wesentlich die soziale Lage: Das Volk befindet sich in größtem Elend und scheint entschlossen, sich daraus gewaltsam auf Kosten der Besitzenden zu befreien, auch auf Kosten der Revolutionsgewinnler, z. B. der Dantonisten. Dies Motiv der äußersten materiellen Not und des daraus resultierenden Radikalismus wird in der Volksszene I, 2 breit eingeführt und zieht sich dann durch das Stück; immer wieder ertönt der Schrei nach Brot und das Jammern der hungernden Kinder. Trotzdem wird das Elend der Armen von Büchner nirgends zum *eigenständigen* Thema gemacht; der „Danton“ ist nicht, wie der wenig später begonnene „Woyzeck“, ein *soziales* Drama, sondern ein *Geschichts*drama: Die soziale Lage bleibt immer nur ein Element des politischen Geschehens, das zum Untergang der Danton-Fraktion führt. Auch die Szene I, 2 etwa ist nicht um des Volkes willen da, sondern exponiert Robespierres demagogisches Werben um die Massen und die Voraussetzungen für den Erfolg Robespierres.

Übrigens fällt die Charakterisierung des Volkes merkwürdig wenig eindeutig aus. Wohl leiht Büchner den Plebejern eigene Gedanken und Formulierungen, mit denen er zu den Zuständen seiner Zeit Stellung nimmt: Die krasse Darstellung des Elends zeigt Anklänge an Passagen aus dem „Hessischen Landboten"; eine Formulierung wie „Ich bete jeden Abend zum Hanf und zu den Laternen" (in einem Brief vom 9. 12. 1833) erinnert an die Radikalität der Lynchszene; und ein Brief an Gutzkow 1836 schlägt mit seiner Stellungnahme für das Volk, gegen die Abgelebtheit der Leute vom Schlage der Dantonisten fast den Ton Robespierres an:

Sympathien Büchners für den Radikalismus des Volkes

> „Ich glaube, man muß [. . .] die Bildung eines neuen geistigen Lebens im *Volk* suchen und die abgelebte moderne Gesellschaft zum Teufel gehen lassen. Zu was soll ein Ding wie diese zwischen Himmel und Erde herumlaufen? Das ganze Leben derselben besteht nur in Versuchen, sich die entsetzlichste Langeweile zu vertreiben. Sie mag aussterben, das ist das einzig Neue, was sie noch erleben kann."

Jedoch erliegt Büchner keineswegs der Versuchung, die ‚plebejischen Massen' zu idealisieren (etwa zu ‚fortschrittlichen Werktätigen'). Immer wieder wird die Darstellung der einfachen Leute aus dem Mitleiderregenden ins derb, oft unangemessen Komische hinübergespielt (durch Simon, die Bürgersoldaten, die Fuhrleute), so daß der Zuschauer an sympathisierender Anteilnahme gehindert wird. Und in seinen politischen Willenskundgebungen und Aktionen erscheint das Volk unsicher, unkritisch, schwankend und unzuverlässig, z. B. in I, 2 und III, 10 (dies Volk sei „noch zu weit davon entfernt [. . .], als ‚Klasse für sich' zu sich selbst gekommen zu sein", heißt es in sozialistischer Formulierung bei Poschmann, S. 105). – Im „Danton" geht es Büchner nicht um eine Parteinahme für die Ausgebeuteten, sondern um die Analyse der Gründe für das Scheitern der dantonistischen Reformer und der Revolution insgesamt.

Kritische Züge in der Darstellung des Volkes

**Belastung der
Dantonisten durch
ihren aristokraten-
haften Lebensstil**

So wenig Büchner das Volk idealisiert, so kritisch ist
er auch in der Darstellung der Gegenspieler Robespierre und Danton. *Danton* und seine Freunde werden belastet durch ihren privilegiert-aristokraten-
haften Lebensstil. Nicht nur Robespierre beschuldigt sie, „mit allen Lastern und allem Luxus der
ehemaligen Höflinge Parade zu machen" (I, 3); sondern so werden sie auch von Büchner gezeigt, und so
stellen sie sich in gelegentlichen Äußerungen auch

**Belastung
Robespierres durch
ideologische
Starrheit**

selbst dar (etwa Lacroix in I, 5). – *Robespierre*, andererseits, wird kritisiert durch die Herausarbei-
tung seiner ins Unmenschliche gehenden ideologischen Fixiertheit. Ganz sicher ist er nicht der Politiker, der im Unterschied zu den Dantonisten dem
Volk einen Ausweg aus seinem Elend zu zeigen

**Robespierre
bekämpft nicht
die Armut, sondern
das Laster**

wüßte; das (in manchen Interpretationen beschwo-
rene) soziale Programm von Büchners Robespierre
besteht nur aus dem einen Satz am Anfang des
Streitgesprächs mit Danton, I, 6: „Die soziale Revolution ist noch nicht fertig [...]." Wie diese soziale
Revolution vonstatten gehen könnte oder was man
auch nur unter dem Begriff zu verstehen hat (da
Robespierre es doch den Hébertisten als Schuld an-
rechnet, daß sie „dem Eigentum den Krieg erklärt"
hätten; I, 3) – das wird nirgends auch nur andeu-
tungsweise ausgeführt. Robespierre verdreht vielmehr noch innerhalb des Gesprächsbeitrags, der
mit der ‚sozialen Revolution' beginnt, diesen Ansatz
so, daß er auf sein eigentliches Thema kommen
kann: „Das Laster muß bestraft werden." Nicht die
Beseitigung der Armut, sondern die Beseitigung des
„Lasters" ist das, was er im Auge hat. Man kann
diese Akzentverschiebung vom sozialen zum moralischen Engagement durch alle Äußerungen Robespierres verfolgen. Konkreter sozialpolitisch formuliert er nur dann, wenn sich daraus ein Angriff gegen
Danton machen läßt; so am Schluß der Jakobiner-
klub-Rede I, 3:

> „Keinen Vertrag, keinen Waffenstillstand mit den
> Menschen, welche nur auf Ausplündrung des Volkes
> bedacht waren, welche diese Ausplündrung unge-
> straft zu vollbringen hofften, für welche die Repu-
> blik eine Spekulation und die Revolution ein Hand-
> werk war."

Es wird Robespierre wohl zuzugestehen sein, daß
für ihn Laster und Ausbeutung, moralische und soziale Verfehlung dasselbe bedeuten; aber das bleibt
bloße Ideologie, d. h. seine persönliche Philosophie,
der er mit blutigem Terror zur Allgemeingültigkeit
verhelfen will. Wenn Robespierre und St. Just von
Erlösungsdenken und einem unbedingten Erlö-
sungswillen beseelt sind (Robespierre läßt sich als
Messias preisen und empfindet sich auch selbst so,
I, 6; St. Just fühlt sich als *Arm des Weltgeistes*, II, 7),
so erheben sie einen Anspruch, für den sie die Rechtfertigung schuldig bleiben und schuldig bleiben
müssen. Mit Recht kann Danton in dem Streitgespräch I, 6 Robespierre vorhalten, daß auch er in
Wirklichkeit nur ein ‚Epikureer‘ sei: insofern nämlich der moralische Rigorismus seiner Natur gemäß
sei, also das sei, „was ihm wohl tu[e]“, keineswegs
jedoch durch eine absolut gültige Idee legitimiert
werde.

Unbedingter
Erlösungsanspruch
Robespierres:

– objektiv ohne
Legitimation

Dabei mag Robespierre subjektiv durchaus ehrlich
von der Gültigkeit seines Absolutheitsanspruchs
überzeugt sein. Allerdings erscheint seine moralische Integrität nicht ungetrübt; denn man erlebt ihn
(und mehr noch St. Just) immer wieder auch als ge-
schickten und rücksichtslosen Techniker der Macht,
der durch eine phrasenhafte, aber offenbar dem
Zeitgeist entsprechende Rhetorik die wichtigen politischen Gruppen skrupellos und mit Erfolg für
sich, und das heißt auch: für den Ausbau seiner
Machtstellung, zu gewinnen versucht.

– in seiner
subjektiven
Ehrlichkeit
problematisch

Das Bild, das „Dantons Tod“ von der Epoche der Revolution entwirft, zeigt also einerseits persönliche
Beschränktheiten: das auf eine überholte Philosophie gegründete, borniert, aber zumindest im Augenblick wirkungsvolle Sendungsbewußtsein Robespierres; den unsozialen Lebensstil Dantons, mag er
nun tatsächlich an die Tradition des Ancien régime
anknüpfen oder vielmehr Ausdruck seiner philosophisch-existentiellen Haltlosigkeit sein (s. u.). Andererseits existieren objektive Gegebenheiten wie
die Armut des Volkes, die im Zusammenwirken mit
den individuellen Eigenarten der Beteiligten eine
Eigendynamik des Geschehens auslösen, die nicht
mehr aufhaltbar oder steuerbar ist.

Zusammenfassung:
Büchners Bild
von der Revolution

Die Problematik des ‚Fatalismus der Geschichte‘

Dantons Passivität

Im Gegensatz zu dem selbstgewissen Aktivismus Robespierres und seiner Freunde erscheint Danton von Dramenbeginn an passiv, weder auf Machterweiterung noch auch nur auf Machterhaltung bedacht, geradezu uninteressiert: „Sie reiben mich mit ihrer Politik noch auf" (I, 1 Schluß). Was ihn in solcher

aufgrund der Überzeugung von der Unvermeidbarkeit des Scheiterns

Weise lähmt, ist die Überzeugung von der Unvermeidbarkeit des Scheiterns. So prophezeit er seinen Freunden im gleichen Zusammenhang: „Die Statue der Freiheit ist noch nicht gegossen, wir alle können uns noch die Finger dabei verbrennen"; später gegenüber Lacroix gebraucht er die berühmte Formulierung: „Die Revolution ist wie Saturn, sie frißt ihre eignen Kinder" (I, 5); und in II, 1 setzt er seinen Freunden die Aussichtslosigkeit eines Vorgehens gegen Robespierre auseinander: „Robespierre ist das Dogma der Revolution, es darf nicht ausgestrichen werden. Es ginge auch nicht. Wir haben nicht die Revolution, sondern die Revolution hat uns gemacht."

‚Fatalismus‘: Die Vorstellung von einer Eigendynamik des geschichtlichen Prozesses

Gemeinsam ist diesen Äußerungen die Vorstellung von einer Eigendynamik des geschichtlichen Prozesses, die sich über den einzelnen, seine Aktionen und Entscheidungen, einfach hinwegsetzt. Man könnte ja vermuten, daß Danton sich und seine Freunde – etwa Camille, den Initiator des Sturms auf die Bastille – als *Väter* der Revolution verstünde, die die Revolution *gemacht haben*; doch er sieht die Verhältnisse umgekehrt, sieht in den Vorkämpfern und Lenkern der Revolution nur ausführende Organe eines überindividuellen Geschehens. Diese Vorstellung von einem ‚Fatalismus der Geschichte‘ (wie man mit einem Ausdruck aus einem Brief Büchners sagt; vgl. dazu S. 102 ff.) lähmt Danton, – und

Dantons Bewußtsein, überholt zu sein

zwar zunächst einmal, weil er erkennt, daß der Geschichtsprozeß über ihn hinweggegangen ist: das Dogma der Revolution ist jetzt Robespierre (II, 1); er selbst ist nur noch ein toter Heiliger, eine Reliquie, die man auf die Gasse wirft (II, 1) oder bestenfalls im Arsenal aufhebt (I, 5). Also bleibt ihm nur die Resignation.

Doch das Problem hat noch eine weitere Dimension. Die Schlüsselszene für das Bewußtsein der Abhängigkeit von „unbekannten Gewalten" ist II, 5. Diese Szene zeigt Dantons selbstquälerisches Nachdenken über die Schuld, die er durch die Septembermorde auf sich geladen hat. Er arbeitet sich zu der Gewißheit durch, daß diese Morde *objektiv* (von der militärisch-politischen Lage her gesehen) eine Notwendigkeit waren; doch kommt er nicht darüber hinweg, daß er sie *subjektiv* (vor seinem Gewissen) nicht verantworten kann; so daß ihm als unaufgelöstes und unauflösbares Dilemma der „Fluch des Muß" bleibt, d. h. die Schuld, die man auf sich lädt, indem man das Notwendige, vom Gang der Geschichte Geforderte tut. Er empfindet das als Fehler in der Konstruktion der Welt, angesichts dessen ihm nur übrigbleibt, sich als Person (die schuldig werden kann) aufzugeben und sich auf eine (schuldunfähige) Marionette zu reduzieren: „Puppen sind wir, von unbekannten Gewalten am Draht gezogen; nichts, nichts wir selbst!" Dieser Verzicht auf Individualität und Willensfreiheit enthebt den Menschen der Verantwortung (am Schluß der Szene erklärt Danton, „ruhig" zu sein); aber der Verlust der Entscheidungsfreiheit und damit der Menschenwürde lähmt offenbar auch die Handlungsfähigkeit bzw. den Handlungswillen.

Dantons Resignation – diese Passivität, die an dem ehemaligen Vorkämpfer der Revolution so stark befremdet – hat also mehrere Gründe: Erstens die konkrete politische Einsicht in die Aussichtslosigkeit der Lage, in die seine Fraktion geraten ist; zweitens das existentielle Bewußtsein der grundsätzlichen Nichtigkeit und Ohnmacht des Menschen in der Welt; und drittens die moralische Qual des unwillentlich schuldig Gewordenen.

Man kann Dantons Passivität, den Entschluß, „lieber guillotiniert [zu] werden als guillotinieren [zu] lassen" (II, 1), auch als Protest gegen die Notwendigkeit und als Bekenntnis zu einer freien sittlichen Entscheidung verstehen: Denn konkret aussichtslos ist die Lage Dantons ja nur dadurch, daß er gar nicht erst den Versuch macht, Robespierre etwa an Radikalität zu überholen, sondern daß er zu seiner

Die moralische Dimension der Fatalismus-Vorstellung:

Subjektive Schuld trotz objektiver Notwendigkeit

Das Bild der Marionette

Zusammenfassung: Dantons Probleme

Dantons Passivität als Protest gegen die Notwendigkeit?

Überzeugung steht: „Ich habe es satt, wozu sollen wir Menschen miteinander kämpfen? Wir sollten uns nebeneinander setzen und Ruhe haben" (II, 1).

Das Problem des menschlichen Leidens: Sinnleere des Lebens, Langeweile und Lebensüberdruß

Der Protest gegen eine fehlerhafte Schöpfung verweist auf den Themenkomplex, der im III. und IV. Akt in den Vordergrund rückt und in dessen Zentrum das Problem des menschlichen Leidens steht. Dieser Themenkomplex wird am Anfang des ‚Gefängnisteils', in der 1. Szene des III. Aktes, ausführlich und programmatisch exponiert: Das ‚Philosophengespräch', das zunächst die Fragen nach der Existenz oder Nichtexistenz Gottes, nach dem göttlichen oder nicht-göttlichen Ursprung der Welt in immer neuen Gedankengängen umkreist (die allerdings von heute aus betrachtet eher wie dialektische Spielereien erscheinen), zielt wohl von Anfang an auf das (auch heute noch) betroffen machende Bekenntnis Paynes, aus Protest gegen den mangelhaften Zustand der Welt die Existenz Gottes nicht akzeptieren zu wollen:

Das menschliche Leiden als „Fels des Atheismus"

> „Man kann das Böse leugnen, aber nicht den Schmerz; nur der Verstand kann Gott beweisen, das Gefühl empört sich dagegen. Merke dir es [...]: warum leide ich? Das ist der Fels des Atheismus. Das leiseste Zucken des Schmerzes, und rege es sich nur in einem Atom, macht einen Riß in der Schöpfung von oben bis unten."

Leiden und Tod als Leitmotiv des Stücks

Von hier ab zieht sich das Thema des Leidens, das einen „Riß in der Schöpfung" macht, bis zum Ende des Dramas. Das beginnt mit der Einlieferung der Dantonisten und ihrer Begegnung mit dem Leiden in den Gefängnissen, – dem Leiden, das durch ihre revolutionären Phrasen hervorgerufen ist (III, 1 und III, 3); es setzt sich fort in den Szenen, die das Grauen Dantons und seiner Freunde, besonders Camilles, angesichts des Todes gestalten, – Grauen vor dem Sterben oder vor dem Bewußtsein, auch durch den Tod nicht das rettende Nichts erreichen zu können (III, 7–IV, 3–IV, 5); und es findet seinen Höhepunkt in dem Protest gegen die Sinnlosigkeit des Leidens, den Danton, Hérault und Camille vor ihrer Abfahrt zur Hinrichtung herausschreien, IV, 5. Auch das erschütternde Sich-Aufbäumen und Resignieren Luciles in der vorletzten Szene gehört noch in diese Linie, IV, 8:

> „Die Erde müßte eine Wunde bekommen von dem Streich. [...] Nein! es darf nicht geschehen, nein – ich will mich auf den Boden setzen und schreien, daß erschrocken alles stehn bleibt [...] Das hilft nichts [...] Wir müssen's wohl leiden."

Eng verbunden mit dem Thema menschlichen Leidens ist das Thema des Sinnverlusts der Welt. So läuft die Auflehnung gegen das über den Menschen verhängte Schicksal sinnlosen Leidens in IV, 5 hinaus auf Dantons Bekenntnis zum Nihilismus: „Die Welt ist das Chaos. Das Nichts ist der zu gebärende Weltgott."

Sinnverlust der Welt

Neben IV, 5 ist III, 7 die Zentralszene für diesen Nihilismus. Hier wird die Welt als ein sinnlos wucherndes Krebsgeschwür erfahren: „Die Schöpfung hat sich so breit gemacht, da ist nichts leer, alles voll Gewimmels." Das einzig sinnvolle Streben des Menschen könnte es sein, diesem Chaos zu entkommen und in die Ruhe des Nichts einzugehen; doch das ist nicht möglich: Weder gibt es für den einzelnen die Erlösung durch den Tod, denn nach Dantons materialistischer Überzeugung kann *etwas* nicht zu *nichts* werden, also auch die materielle Person nicht (und auch nicht deren Bewußtsein, das von Danton bzw. Büchner als Materie angesehen wird); Leben und Tod sind nur zwei verschieden organisierte Formen der „Fäulnis". Noch auch besteht für die Welt im ganzen eine Hoffnung, aus dem sinnlos wuchernden Chaos herauszukommen: „Das Nichts hat sich ermordet, die Schöpfung ist seine Wunde, [...] die Welt ist das Grab, worin es fault."

Die ‚Nihilismus-Szenen' III, 7 und IV, 5:

Vergebliche Sehnsucht nach dem unerreichbaren Nichts

Die Lage des Menschen, wie sie von Danton und seinen Freunden erfahren wird, ist also trostlos: Dem

Trostlosigkeit der Situation des Menschen

Leiden hilflos ausgesetzt, kann er sich an keiner sinngebenden Bestimmung orientieren, kann aber der Sinnlosigkeit des Seins andererseits auch nicht entkommen.

Dantons Lebensüberdruß als Folge dieser Situation

Das Bewußtsein solcher trostlosen Lage zermürbt Danton, – und zwar nicht erst, als er in den Gefängnisszenen des III. und IV. Aktes sich mit dem unausweichlich herannahenden Tod auseinandersetzen muß. Schon vorher zeigen sich die Symptome dieser Zermürbung in der Langeweile, dem Lebensüberdruß, der für Danton so charakteristisch ist. Von diesem Lebensüberdruß geprägt erscheint er von Anfang an; ausdrücklich thematisiert wird das Motiv in den ersten Szenen des II. Aktes: In II, 1 demonstriert Danton beim Ankleiden die öde Langweiligkeit des Lebens an der sinnlos wiederkehrenden Gleichförmigkeit des Sich-Anziehens. In der Promenaden-Szene II, 2 erklingt sein Hohngelächter über die Leute, die sich angesichts der Sinnleere in ihrem Tatendrang *nicht* lähmen lassen. Und in II, 4 gipfelt diese Szenenfolge darin, daß Dantons Skepsis gegenüber jeder Art von zielstrebigem Handeln ihn veranlaßt, den Fluchtversuch abzubrechen.

Zusammenhänge zwischen Fatalismus- und Nihilismus- Problematik

Der Zweifel am Sinn der Welt und allen menschlichen Handelns verbindet sich mit der Bestürzung über den ‚Fatalismus der Geschichte' zu Dantons Lähmung. Es sind nicht eigentlich zwei verschiedene Ursachen, sondern eher verschiedene Aspekte derselben Grunderfahrung. „Er will sich lieber guillotinieren lassen als eine Rede halten", charakterisiert Lacroix das, was er Dantons „Faulheit" nennt (II, 1); – „ich will lieber guillotiniert werden als guillotinieren lassen", sagt Danton selbst (II, 1). Beide Aussagen treffen einen Teil der Wahrheit.

Das Bekenntnis zu epikureischem Lebensgenuß und zur Sinnlichkeit – und die Aussichtslosigkeit epikureischer Lebenserfüllung

Der Verlust des Glaubens an eine metaphysische Garantie, d. h. an eine ausgleichende Gerechtigkeit in einem wie auch immer gearteten Jenseits und an eine für die Lebensführung Normen setzende Instanz, führt bei den Dantonisten zu der philosophischen Haltung des materialistischen Epikureismus, also zum Bekenntnis zu Sinnlichkeit und Lebensgenuß: Wenn es keine jenseitige Kompensation für entgangenes Lebensglück gibt, wird jeder die größtmögliche Erfüllung für sich in diesem Leben anstreben; wo kein allgemeingültiger Sinn mehr erkennbar ist, muß der einzelne sich auf sich zurückziehen, muß sich selbst „geltend machen und seine Natur durchsetzen" (I, 1).

Epikureismus der Dantonisten: Diesseitige Lebenserfüllung für den einzelnen

Das ist der philosophische Ansatz, der dem von den Danton-Freunden in I, 1 verkündeten Liberalismus-Programm zugrunde liegt und auf dem Dantons Argumentation in dem Streitgespräch mit Robespierre (I, 6) beruht. Von dieser philosophischen Grundposition her muß es unvermeidlich zu dem schärfsten Konflikt zwischen den Dantonisten und Robespierre kommen: Denn der und seine Freunde glauben ja an einen Sinn und ein Ziel der Geschichte (besonders grundsätzlich wird das von St. Just in seiner Konventsrede II, 7 dargelegt, wo er sich als Gehilfen des „Weltgeists" versteht); und aus dieser Überzeugung ergibt sich für sie die Forderung, im Sinne des „Weltgeists" und im Interesse der ganzen Menschheit zu handeln, unter Zurückstellung des eigenen, am ganzen gemessen höchst irrelevanten Lebensglücks, das dagegen für die Epikureer richtungweisend im Vordergrund steht.

Gegenposition Robespierres: Glaube an ein Ziel der Geschichte

Der Gegensatz zwischen Robespierre und Danton betrifft übrigens nicht nur den Inhalt, sondern auch die Form ihres Denkens: während Robespierre und St. Just sich in philosophischen Deduktionen objektiver Gesetzmäßigkeiten zu bemächtigen glauben, herrscht bei Danton das Subjektive vor: die existen-

Unterschiedliche Denk-Formen Robespierres und Dantons

tielle *Erfahrung* des Zustands der Welt, die dann nur in philosophische Termini gekleidet wird; tatsächlich sind Dantons Nihilismus und Epikureismus keine echten philosophischen Überzeugungen, sondern mehr so etwas wie ein auf subjektiver Welterfahrung beruhender Lebensstil.

Epikureicher Lebensstil der Dantonisten

Die Lebensweise Dantons und seiner Freunde ist durchgehend geprägt vom Stil des Epikureismus, von Lebensgenuß, Sinnlichkeit, auch Ausschweifung.

Am ‚edelsten‘ und auch am programmatischsten erscheint die epikureische Position in Camilles

Camilles Schönheitskonzept

Schönheits-Konzept, das er I, 1 als Ergänzung und zugleich Begründung der Forderung nach politischem Liberalismus vorträgt:

> „Die Staatsform muß ein durchsichtiges Gewand sein, das sich dicht an den Leib des Volkes schmiegt [. . .] Die Gestalt mag nun schön oder häßlich sein, sie hat einmal das Recht, zu sein wie sie ist [. . .].“

Dieselbe Denkweise liegt Camilles kunsttheoretischem Glaubensbekenntnis in II, 3 zugrunde: die Ehrfurcht vor „der Schöpfung, die glühend, brausend und leuchtend, [. . .] sich jeden Augenblick neu gebiert" und die Forderung, daß alles Lebendige, ob schön oder häßlich, sich soll frei entfalten dürfen. (Obwohl dies Postulat sich aus dem epikureisch-materialistischen Ansatz ergibt, spricht Camille inkonsequenterweise von einem „Schöpfer" und von „Gottes Geschöpfen".)

Sinnlichkeit des Lacroix

Am vulgärsten und zynischsten erscheint die epikureische Sinnlichkeit in Passagen wie der Lacroix-Szene in I, 5. Hier zeigt sich der dem Epikureismus zugeordnete Lebensstil Dantons und seiner Freunde besonders deutlich: das Schweifen durch die Spielsalons, Vergnügungsetablissements und Bordelle des Palais Royal (also das, was Robespierre I, 6 den von der Aristokratie ererbten „Aussatz" nennt, das Laster, das „zu gewissen Zeiten Hochverrat" sei). Und hier wird auch die Fragwürdigkeit dieses Lebensstils angedeutet: die im ganzen „Danton" stark

Die Quecksilber-Chiffre: Fragwürdigkeit dieses Lebensstils

akzentuierte Sexualität steht unter der Bedrohung der Syphilis, wie die immer wiederkehrende Quecksilber-Chiffre anzeigt. (Lacroix liefert mit seinem

Bonmot über den Unterschied zwischen antikem und modernem Adonis eine entlarvende Parodie zu Camilles sich auf die griechische Antike berufendem Schönheitskult.)

Mit der Chiffre von den „Quecksilberblüten" wird auf den heillosen Zustand der Welt hingewiesen, der das epikureische Ideal bedroht. Denn schlecht ist es um den Lebensgenuß bestellt, wenn das Leben selbst sinnlos und chaotisch geworden ist. In einem einprägsamen Bild formuliert Lacroix in I, 4 (der kleinen Szene, die der Marion- und Grisetten-Szene vorangeht) diese hoffnungslose Zerrissenheit der Welt, die dem Epikureismus wenig Erfüllungs-Chancen einräumt:

Unmöglichkeit des Lebensgenusses in einer sinnlosen Welt

> „Er [Danton] sucht eben die mediceische Venus stückweise bei allen Grisetten des Palais Royal zusammen, er macht Mosaik, wie er sagt, der Himmel weiß, bei welchem Glied er gerade ist. Es ist ein Jammer, daß die Natur die Schönheit, wie Medea ihren Bruder, zerstückelt und sie so in Fragmenten in die Körper gesenkt hat."

Die Bejahung der Sinnlichkeit ist also keine wirkliche Emanzipation, keine Befreiung, sondern hat etwas Zwanghaftes an sich, etwas von einer Vergnügungs-*Sucht*, die mit dem verzweifelten Suchen nach etwas für den Menschen Unerreichbarem zu tun hat.

Auch die für das Bekenntnis zur Sinnlichkeit zentrale Marion-Szene I, 5 gibt keinen sicheren Beleg für die Möglichkeit einer Verwirklichung des epikureischen Ideals. Die Analyse der Szene hat offenlassen müssen, ob das Genuß-Streben Marions sein Ziel erreicht oder (nach Ansicht Büchners) auch nur erreichen kann: Die Bilder etwa von der „Glut" und dem „Strom" lassen die Sinnlichkeit in positivem Licht erscheinen; vorherrschend ist aber eher die Darstellung einer konturenlosen Gleichförmigkeit und tristen Gleichgültigkeit, eines Dahingetriebenwerdens unter Verlust einer individuellen Persönlichkeit.

Fragliche Bewertung der Sinnlichkeit in der Marion-Szene

Und auch Camille kann sein Schönheits-Konzept angesichts des Todes – des eigenen Todes und des Schicksals, das er auf Lucile zukommen sieht –

Scheitern von Camilles Schönheits-Konzept

nicht durchhalten: Die Gefängnisszenen IV, 3 und IV, 5 (wo er in seiner ‚Abschiedsrede‘ das Leben als sinnloses Einerlei darstellt und damit seine früheren Glaubensbekenntnisse widerruft) zeigen einen Zusammenbruch Camilles.

Tatsächlich bleibt also den Danton-Freunden wirklicher Lebensgenuß verwehrt; diese Epikureer müssen sich damit begnügen, sich einzurichten, „sich ein ganz behagliches Selbstgefühl“ zurechtzumachen (wie Danton IV, 5 formuliert), ihre *Rolle* so akzeptabel wie möglich zu Ende zu bringen. Die Theater-Metapher verwendet Danton II, 1; und der Unterschied zwischen einem so in seine Rolle gezwungenen Schauspieler und der Marionette, als die sich Danton in der ‚Fatalismus‘-Szene II, 5 versteht, ist offenbar nicht mehr groß.

Menschliche Isolation und mitmenschliche Solidarität

Zu dem Erlebnis der Hoffnungslosigkeit der menschlichen Lage gehört es ganz wesentlich, daß Danton sich als isoliertes Einzelwesen erfährt, ohne Zugang zu einem Nächsten und ohne die Möglichkeit gelingender zwischenmenschlicher Kommunikation. Das Thema wird von ihm gleich in I, 1 sozusagen programmatisch eingeführt:

> „Wir wissen wenig voneinander. Wir sind Dickhäuter, wir strecken die Hände nacheinander aus, aber es ist vergebliche Mühe, wir reiben nur das grobe Leder aneinander ab, – wir sind sehr einsam [...] (*Er deutet ihr [Julie] auf Stirn und Augen*) Da da, was liegt hinter dem? Geh, wir haben grobe Sinne. Einander kennen? Wir müßten uns die Schädeldecken aufbrechen und die Gedanken einander aus den Hirnfasern zerren.“

In der Gewalttätigkeit der Vorstellung vom Aufbrechen der Schädel spiegelt sich das verzweifelte, aber aussichtslose Begehren, über die menschliche Unzulänglichkeit hinauszukommen. Es ist dieselbe

Unvollkommenheit, die Danton klagen läßt, daß er Marions „Schönheit nicht ganz in sich fassen" kann (I, 5), und die ihn treibt, ein Surrogat für die versagte Schönheit „stückweise bei allen Grisetten" zusammenzusuchen (I, 4); – gelegentlich deutet er sogar die revolutionäre Lust am Guillotinieren um zu einer gewalttätigen Sinnsuche, II, 1:

> „Es wurde ein Fehler gemacht, wie wir geschaffen wurden, es fehlt uns etwas, ich habe keinen Namen dafür, wir werden es einander nicht aus den Eingeweiden herauswühlen, was sollen wir uns drum die Leiber aufbrechen? Geht, wir sind elende Alchymisten."

In deutlichem Gegensatz zu den ‚theoretischen' Äußerungen, die die Isolation des einzelnen betonen, steht die Darstellung der Dantonisten, die immer wieder andeutet, daß es im praktischen Leben doch so etwas wie Gemeinschaft, Kommunikation und Bindungen zwischen den Menschen gibt. Danton befindet sich in fast allen Szenen unter Freunden, in menschlichem Kontakt (und das in scharfem Kontrast zu Robespierre, der stets als einzelner einer von ihm getrennten Masse gegenüber- oder entgegentritt). Man kann zwar gegen Dantons Freunde Vorbehalte haben; dennoch gewinnen sie durch ihre Zuwendung zueinander und zu Danton Kontur und menschliche Statur, und zwar gegen Ende des Dramas deutlich zunehmend.

Widerspruch zwischen Theorie und Praxis:

Solidarität der Dantonisten in ihrem Verhalten

Ganz besonders wird Hérault als Person immer eindrucksvoller; etwa wenn er in IV, 5 Dantons Ansatz von Pathos als Phrasen für die Nachwelt entlarvt, ohne doch Danton verletzend zu nahe zu treten; oder wenn er am Ende der Szene den Arm Camilles (des in dieser Szene Schwächsten) nimmt: „Freue dich Camille, wir bekommen eine schöne Nacht [. . .]." Und der Beziehung zu Hérault gelten die letzten Worte Dantons, die er vor der Hinrichtung dem Henker zuruft: „Kannst du verhindern, daß unsere Köpfe sich auf dem Boden des Korbes küssen?" Dieselbe Menschlichkeit und Mitmenschlichkeit zeigt Danton vor allem auch gegenüber Camille: Dahin gehört in IV, 3 sein Zureden, als Camille aus Sorge um Lucile zu verzweifeln droht, und seine beruhi-

Mitmenschlichkeit im Verhalten – Héraults

– und Dantons

gende Reaktion auf Camilles Alptraum; in IV, 7 sein Zuspruch beim Besteigen des Schafotts.

Echte Beziehung zwischen Danton und Julie

Besonders ausgeprägt erscheint diese Zuwendung in dem Verhältnis zwischen Danton und Julie, bei dem die menschliche Bindung soweit trägt, daß Julie mit Danton in den Tod geht. Von seiten Dantons zeigen eigentlich nur zwei relativ kurze Bemerkungen in III, 7 und in IV, 3 dies Verhältnis an. Sie sind jedoch dadurch hervorgehoben, daß sie in zentralen ‚nihilistischen‘ Szenen einen diesen Nihilismus relativierenden Trost aufscheinen lassen; und auch die Poesie dieser Sätze, die sich weit von der sonst in Dantons Kreis üblichen Ironie entfernt, zeigt, welche Bedeutung Julies Treue für Danton hat.

Liebe Camilles und Luciles

Neben der Beziehung zwischen Danton und Julie steht – weicher, ergreifender, auch weniger wortkarg gestaltet – die zwischen Camille und Lucile, die verstärkend dasselbe Thema variiert: Es gibt nicht nur den trostlosen Untergang, sondern auch die Bewährung einer menschlichen Bindung, der freilich kein irdisches Glück beschieden ist, die aber demonstriert, daß es gegenüber dem sinnlosen Schicksal so etwas wie Solidarität der gequälten Menschen gibt.

Möglichkeit einer Solidarität der Menschen gegenüber dem Schicksal

Die Hauptfiguren
in „Dantons Tod"

Die Figurenkonstellation

Die Figurenkonstellation des Stücks ist geprägt von der Gegenüberstellung der Titelfigur Danton mit einem Robespierre, der in fast allen Punkten genau konträr zu Danton gezeichnet ist: hinsichtlich der politischen Überzeugung, der philosophisch-existentiellen Haltung und des Lebensstils. Diese antithetische Grund-Konfiguration gilt strenggenommen allerdings nur für die ersten beiden Akte; denn während Danton durchgehend gegenwärtig bleibt, scheidet Robespierre als Figur des Dramas ja nach dem II. Akt aus, wenn auch natürlich das von ihm eingeleitete Geschehen unaufhaltsam weiterläuft.

Danton / Robespierre

Den beiden opponierenden Hauptpersonen stehen als nächste Vertraute Camille und Saint-Just zur Seite, die die Haltung ihrer größeren Freunde variierend wiederholen, wobei sie sich sozusagen in entgegengesetzter Weise von ihrem Vorbild entfernen: St. Just ist kälter, härter, unmenschlicher als Robespierre, Camille weicher, menschlicher und lebensbejahender als Danton.

Camille / Saint-Just

Was die weiteren Anhänger angeht, die ‚Dantonisten' und die ‚Robespierristen', so sind die Rollen recht ungleich verteilt. Um Danton und Camille schart sich eine Gruppe von Freunden: Gefährten zuerst im Lebensgenuß, auch wohl in der Ausschweifung, dann in Gefahr und Bedrohung, schließlich im Tod. Robespierre dagegen steht allein. In der ersten Dramenhälfte gibt es zwar Massen, die sich für ihn begeistern, aber keine als Einzelperson kenntlichen Robespierre-Anhänger (Freunde hat Robespierre schon gar nicht; auch St. Just in I, 6 ist kein Freund, und sogar Vertrauter nur in einem mehr geschäftlichen Sinn). Im zweiten Teil tritt Robespierre selbst nicht mehr auf; und was im III. und IV. Akt von Robespierristen sichtbar wird, färbt das

Dantonisten / Robespierristen

Bild der Robespierre-Seite stark negativ, während umgekehrt die Dantonisten gegen Schluß positiver erscheinen als am Anfang.

Julie, Lucile /
[das Volk]

Zu Danton und Camille gehören nicht zuletzt ihre Frauen, Julie und Lucile. Was diese an Thematik und Atmosphäre in das Stück bringen – Liebe, Treue, aber auch Klage und Ausdruck des Leidens –, dazu fehlt auf der Robespierre-Seite jeder Ausgleich. Es sei denn, man wollte hier als Gegenstück das Volk einsetzen, das sicher eine der ‚Personen des Dramas' ist und gewiß letztlich auf der Seite Robespierres steht. Eine solche Gegenüberstellung würde noch einmal die Grundkonstellation abbilden: den Dantonisten ist die private Beziehung zugeordnet, Robespierre das demagogische, ‚volks-führende' Wirken.

Danton

Danton als Zentrum der verschiedenen Problembereiche

Danton ist die Hauptfigur, in deren Gestaltung die verschiedenen thematischen Aspekte zusammenfließen: der politische, der existentielle und der philosophische Problembereich, also alle die Probleme, die im Thematik-Kapitel dargestellt worden sind.

Die Danton-Fraktion steht für das politische Programm der Mäßigung und der Gnade; doch vertreten wird dies Programm im Stück fast nur von Dantons Freunden, während Danton selbst von der

Die passiv-distanzierte Haltung Dantons

Eingangsszene an diese Ziele mit ironisch-distanzierter Skepsis betrachtet und sich von politischer Aktivität resigniert in den Lebensgenuß zurückzuziehen trachtet. Immerhin erlebt man ihn in I, 6 in der Konfrontation mit Robespierre, und zwar als den eindeutig Überlegenen, der Robespierres Selbstsicherheit zu erschüttern vermag. Später (II, 1) hört man, daß er auch praktische Versuche unternommen hat, Verbündete für seine Politik zu gewinnen, nämlich die Sektionen des Pariser Gemeinderats – allerdings vergeblich.

Reste von Dantons revolutionärem Elan in den Prozeßszenen

Die mitreißende Kraft, die dieser Revolutionsführer gehabt haben muß (anders wäre das politische Gewicht nicht zu verstehen, das auch in Büchners Drama ständig vorausgesetzt wird), wird in den Prozeß-Szenen des III. Akts erahnbar (wo sie freilich unter dem tragischen Vorzeichen des nicht mehr abwendbaren Scheiterns steht): Da zieht Danton durch das Feuer seiner Rede das Volk vorübergehend auf seine Seite und bringt das Revolutionstribunal in äußerste Bedrängnis; da bekennt er sich leidenschaftlich zu seinen revolutionären Taten (III, 4), die ihn doch vorher zu so tiefen Zweifeln geführt haben; und da schwingt er sich auf zu einer grundsätzlichen Abrechnung mit der Politik Robespierres und seiner „Henker", die er des Hochverrats und des Verrats an Revolution, Republik und Freiheit anklagt.

Doch diese Auftritte eines ‚politischen' Danton vor der Öffentlichkeit bleiben Ausnahmen. Insgesamt ist Danton als ‚private' Person gezeichnet und in private Räume gestellt; und es sind primär philosophisch-existentielle Probleme, die sein Denken und seinen Lebensstil bestimmen, nicht die politischen Grundsatzfragen. In denjenigen Szenen, in denen am meisten von der Person Dantons sichtbar wird, von seinem Denken und Fühlen, ist er als Träger des Nihilismus-, des Epikureismus- und des Fatalismus-Themas gezeichnet. Das Nihilismus-Thema ist am klarsten in den drei Szenen ‚angesichts des Todes' ausgesprochen (III, 7; IV, 3; IV, 5); das Epikureismus-Thema erscheint in argumentativer Formulierung in der Auseinandersetzung mit Robespierre (I, 6), stimmungsmäßig in den sehr lyrischen Passagen der Marion-Szene (I, 5); und die Fatalismus-Problematik entwickelt Danton in der Szene am nächtlichen Fenster, II, 5.

Danton ist primär private Person und hat privat-existentielle Probleme

Charakteristisch für Danton ist das Zweifeln und Suchen, die Widersprüchlichkeit seines Handelns und Denkens. Für keines seiner Themen hat er eine Konzeption, die ohne Brüche aufginge (anders als etwa Payne, der glaubt, die Welt mit seinen logischen Deduktionen in den Griff bekommen zu können; anders natürlich auch als der seiner Sache gewisse Robespierre). Danton akzeptiert gelegentlich die von Lacroix geprägte Formulierung, er sei ein „toter Heiliger", den man bestenfalls „im Arsenal

Zweifeln und Suchen Dantons

Skepsis als Folge
des Bewußtseins der
Unzeitgemäßheit

Widersprüche
bei Danton:
– Zwischen
  Erkennen
  der Gefahr
  und Untätigkeit

– zwischen
  Bejahung und
  Abwehr des
  Todes

Dantons Verhalten
ist positiver als sein
Philosophieren:

– Echte Beziehung
  zu Camille
  und Julie

– Die Skepsis
  bisweilen nur
  Attitude, die
  Menschlichkeit
  verstecken will

aufheben" werde, während Robespierre jetzt „das Dogma der Revolution" sei (I, 5 und II, 1). Aus dem Bewußtsein solcher Unzeitgemäßheit resultiert seine Haltung: Unsicherheit, Skepsis, die oft in Zynismus übergeht; bisweilen auch die Theater-Pose; und aus dem Nebeneinander etwa von Skepsis und Pose ergeben sich immer wieder Widersprüche in Inhalt oder Stil.

Zu den kennzeichnendsten Widersprüchlichkeiten Dantons gehört es, daß er trotz der klaren Erkenntnis der drohenden Gefahr (schon I, 1 und später besonders im Gespräch mit Lacroix, I, 5) dann doch seine „Faulheit" beibehält, mit der viel zu billigen Selbstberuhigung „Sie werden's nicht wagen". – Eine andere, diesmal philosophisch-existentielle Widersprüchlichkeit ist es, daß Danton sich den Tod und die Ruhe im Grab wünscht (I, 1 als Leitmotiv eingeführt); daß er sich aber dennoch, teilweise sogar verzweifelt, gegen das Sterben-Müssen wehrt (etwa III, 7; IV, 3; oder auch in den Verhör-Szenen). – Auf der Flucht kehrt Danton um, weil ihm zu Bewußtsein kommt, daß der Tod ihn vor seinem Gedächtnis retten werde (so erklärt er jedenfalls; II, 4); an anderer Stelle glaubt er aber gerade nicht an die Möglichkeit eines völligen Endes der Existenz (III, 7).

Am interessantesten sind die Fälle, in denen Dantons praktisches Handeln seiner theoretischen Position widerspricht, und zwar, insofern sein Handeln ‚positiver', lebensbejahender ist. Das betrifft vor allem seinen grundsätzlichen Zweifel an der Möglichkeit zwischenmenschlicher Kommunikation: mit diesem Thema eröffnet er ja das Stück, indem er Julies Glauben an die Zusammengehörigkeit seine hoffnungslose Skepsis entgegenhält. Tatsächlich jedoch bewahrt Danton Freundschaft und menschliche Zuwendung, vor allem gegenüber Camille (IV, 3); und seine Beziehung zu Julie ist echt und tragfähig, ihre Treue bis in den Tod gibt ihm Geborgenheit (III, 7; IV, 3).

Ähnlich steht es mit der lebensverachtenden Skepsis, in der sich Danton gelegentlich gefällt; beispielsweise erklärt er in II, 1, es sei kein Unglück, daß die Guillotine die Lebenszeit ein wenig reduziere; „ob sie [die Leute] nun an der Guillotine oder am Fieber oder am Alter sterben", sei letzten Endes gleichgültig. Das klingt fast wie Saint-Justs Formulierung in der Konvents-Rede II, 7: „Was liegt daran, ob sie an einer Seuche oder an der Revolution sterben?" Doch während St. Just mit seinem Satz konkret die Auslieferung der nächsten Gruppe von Opfern an die Guillotine begründen will, spricht Danton eigentlich nur von der eigenen Entscheidung für seine Person; – die Verallgemeinerung zu einem allgemeingültigen Satz gehört zu den theatralischen Attituden, in denen er sich bisweilen gefällt. Nach dem Zusammenhang der Szene meint Danton: die Rettung des eigenen Lebens sei es ihm nicht wert, dafür andere guillotinieren zu lassen, dann wolle er lieber selbst guillotiniert werden. In Gefahr für sein Leben ist Danton ja aber eben deshalb geraten, weil er sich – entgegen seiner vorgeblichen Gleichgültigkeit gegenüber dem Leben – für ein Ende des Mordens eingesetzt hat.

– Die Politik der Mäßigung widerlegt die Gleichgültigkeit gegenüber dem Leben

Es ist gerade diese Widersprüchlichkeit des Leidenden, dem Geschehen als Marionette Ausgelieferten, die Danton zu einer so eindrucksvollen Figur macht und ihm die Sympathie des Zuschauers sichert.

Robespierre

Robespierre hat, abgesehen von der nächtlichen Konfrontation mit Danton, drei große politische Auftritte: I, 2 auf der Gasse das demagogische Werben um das Volk; I, 3 im Jakobinerklub eine Grundsatzrede über die Prinzipien revolutionärer Politik; und II, 7 im Nationalkonvent eine Rede aus aktuellem Anlaß: Rechtfertigung der Verhaftung der Dantonisten und Ablehnung der Begnadigung.

Robespierre in den Szenen I, 2 – I, 3 – II, 7:

Deutlich wird in allen diesen Szenen der Aktivismus Robespierres, der den öffentlichen Auftritt vor großem Auditorium sucht, und sein rhetorisch geschicktes Agieren und Agitieren, mit dem er die wichtigsten politischen Gruppen für sich zu gewin-

Aktivismus; geschicktes Agieren;

auch Demagogie nen vermag: eben das Volk, die Jakobiner, den Konvent. Bei seinen Angriffen gegen die Dantonisten zeigt der ‚tugendhafte' Robespierre keine Hemmungen, wenn es gilt, seine Politik durchzusetzen; und in der Unterredung mit St. Just schiebt er seine Unentschlossenheit zwar mit Bedenken, aber dann doch energisch beiseite. Dieser Aktivismus, der von der Tugendideologie ausgeht, aber vielfach in eindeutige Demagogie mündet, ist konstitutiv für die Figur Robespierres. – Büchner zeichnet also seinen Robespierre in durchgehender Antithetik zu Danton: Öffentlichkeit statt privater Räume, Aktivismus statt Lähmung, Tugendideologie statt Epikureismus, demagogisches Engagement statt ironischem Skeptizismus.

Die Tugendideologie Robespierres Mit seiner Tugendideologie, wie überhaupt mit den Kategorien seines Denkens, erweist sich Robespierre als Schüler von Jean-Jacques Rousseau (1712–1778).

Die Theorien Rousseaus Nach Rousseau ist der Staat

> „eine politische Organisation, die auf einem Gesellschaftsvertrag *(Contrat social)* beruht, den seine Bürger eingegangen sind kraft ihrer angeborenen und unveräußerlichen Rechte auf Freiheit und Gleichheit und kraft ihres Vermögens zur Selbstbestimmung. Da die Zivilisation die Schuld daran trägt, daß es in Wirklichkeit nicht so ist, muß – im Gegensatz zu jedem Fortschritts- und Wissenschaftsoptimismus – im Rückgriff auf die Einfachheit der Natur die natürliche Form des Staates gefunden werden."
>
> Rousseau legt „die Zukunft in die Verantwortlichkeit des Menschen. – Die Übereinstimmung des individuellen Willens mit dem allgemeinen Willen ist für Rousseau „Tugend". In diesem moralischen Begriff ist seine Staatstheorie mit seiner Erziehungstheorie [...] verzahnt. [...] Das Problem für Rousseau ist, eine Form des Zusammenlebens zu finden, die den einzelnen, der sich mit allen anderen verbindet, dennoch so frei läßt wie zuvor. Der sittliche, freie Wille, der sich im Staat selbst bestimmt, ist der Gemeinwille, der als moralisches Prinzip unteilbar, unveräußerlich ist, unzerstörbar und unfehlbar sein muß, auch wenn ihm der empirische Wille aller nicht entspricht." [Meyers Taschenlexikon Geschichte, Artikel ‚Rousseau']

Aus diesem Ansatz ergibt sich für Robespierre die Verpflichtung, auf das nach seiner Philosophie erkennbare Ziel hin zu handeln, von Sonderinteressen abzusehen und für die Durchsetzung des Gemeinwillens zu kämpfen. Die verpflichtende Erkennbarkeit des Ziels rechtfertigt die Anwendung von Gewalt; daher die ‚terreur'-Politik; daher in der Grundsatzrede I, 3, die Verbindung von Politik und Moral, von Schrecken und Tugend. Daß dieses ideologische Moralisieren sich nur im Kampf gegen die ‚Laster' der Dantonisten konkretisiert, nicht aber in einem sozialen Programm, ist von Robespierres Ansatz her durchaus verständlich. Auch der Hang zur Öffentlichkeit, die Volksverbundenheit entspricht diesem Einsatz für den Gemeinwillen.

Der Glaube an ein erkennbares Ziel der Geschichte

verpflichtet zu zielstrebigem Handeln (‚terreur'-Politik)

Fragwürdig wird die Position Robespierres jedoch durch das bisweilen recht krasse Abgleiten in die Demagogie. Bei den Angriffen auf die Danton-Fraktion etwa ist er wenig wählerisch in seinen Mitteln und schreckt vor Unterstellungen nicht zurück (etwa dem Vorwurf konspirativer Zusammenarbeit mit „den Königen"). Nicht weniger befremdet in I, 2 und I, 3 die Betonung seiner Führerposition, seiner geradezu übermenschlichen Umsicht und Voraussicht. Er wird nicht nur vom Volk als „Messias" bezeichnet, sondern stellt sich durchaus auch selbst so dar; dazu gehört auch die Mischung von Revolutionspathos und prophetischer Diktion in seinem Stil.

Schwächen Robespierres: Abgleiten in Demagogie und in Selbstherrlichkeit

Insgesamt erscheint dieser Robespierre in seine Tugendideologie verrannt; eine Verranntheit, die zu Realitätsverlust und Inhumanität führt. Oder, negativer gesehen: vielleicht benutzt er die Tugendideologie sogar nur als Deckmantel für persönliches Machtstreben?

Inhumanität als Konsequenz der Tugendideologie

Besonders wichtig für die Beurteilung Robespierres ist die Szene I, 6 in Robespierres Zimmer: der Grundsatzstreit mit Danton; später das intrigierende Planen mit St. Just; darum herum gruppiert die beiden Monologe, in denen – ausnahmsweise – das Innere, die Seele Robespierres sichtbar wird.

Die Robespierre-Szene I, 6:

Das Streitgespräch mit Danton führt die Konfrontation von Tugendideologie und Epikureismus vor und läßt erkennen, daß Robespierre die philosophischen Überzeugungen, mit denen er seine mörderi-

Kontroverse mit Danton: Tugendideologie gegen Epikureismus

sche Politik begründet und rechtfertigt, keineswegs so gründlich durchreflektiert hat, daß er sie gegen Danton zu verteidigen vermöchte.

Die Monologe:

Noch aufschlußreicher aber sind die beiden Monologe Robespierres: die Passagen, die ihn vor den anderen Dramenpersonen auszeichnen und in die Nähe Dantons rücken, schon äußerlich durch die nachdrückliche Parallelisierung mit der nächtlichen Danton-Szene II, 5. Es zeigt sich hier der andere Pol in Robespierres Wesen, der doch auch vorhanden ist: nach dem öffentlichen Auftreten vor den Massen hier die Innenansicht, nach dem demagogischen Agitieren für den skrupellos als richtig angesetzten eigenen Standpunkt jetzt das Fragwürdigwerden der Selbstsicherheit; Zweifel sogar an der Reinheit der eigenen Motive (treibt ihn politische Einsicht oder schnöde Eifersucht?).

Robespierre als Mensch mit Selbstzweifeln

Reflektieren über die schicksalsgewollte Rolle des „Blutmessias"

Die Szene läuft schließlich darauf hinaus, daß Robespierre den Vergleich Camilles akzeptiert und sich zu der ihm vom Schicksal zugewiesenen Rolle des Blutmessias bekennt. Dabei ist ernstzunehmen, daß Robespierre unter der „Qual des Henkers" und unter der Vereinsamung, die ihm diese Rolle aufbürdet, wirklich leidet. Er läßt sich nur noch wiederstrebend von St. Just zur Entscheidung drängen, weil auch er jetzt bei Zweifeln am Sinn politischen Handelns angelangt ist: „es erlöst keiner den andern mit seinen Wunden". Von dieser Szene ab kann man nicht mehr ohne Einschränkung von radikaler Aktion sprechen (auch wenn Robespierre sich in der Konventsrede II, 7 noch einmal zu energischem rhetorischem Handeln aufrafft – so ähnlich wie es ja auch Danton in den Gerichtsreden III, 4 und III, 9 tut). Auch Robespierre wird offenbar, wie Danton, in seiner Aktionsfähigkeit gelähmt durch die Einsicht in die Determiniertheit seines Handelns und durch die Erkenntnis, daß er der ungeheuren Last nicht gewachsen ist, die ihm die Anforderungen der Situation bzw. die Heilserwartung des Volkes auferlegt. Und auch Robespierre kommt in seiner Reflexion über die Lage des handelnden Menschen nicht weiter als Danton: die aufgezwungene Rolle eines „Blutmessias" ist nicht besser und befriedigender für das handelnde Subjekt als die einer Marionette.

Das Bewußtsein der Determiniertheit lähmt auch Robespierre

Camille

Camille fällt von der ersten Szene an durch seine Bejahung des Lebens und der Schönheit auf. Er erscheint immer wieder als der für die Griechen Begeisterte – im Gegensatz zu der Beschwörung der sittenstrengen römischen Catonen, die der Revolution sonst geläufig ist. Auf die Griechen beruft er sich in seinen ersten Äußerungen; und unmittelbar vor dem Tod deutet er den Fuhrmann als Charon (den Fährmann, der nach griechischer Mythologie die Toten in die Unterwelt übersetzte) und das Vergießen seines Bluts als Libation (als das Trankopfer, das die Griechen beim Gastmahl den Göttern darbrachten). Diese Bezugnahme auf die Griechen anstelle der strengen römischen Tugendrichter will besagen: Camilles Ideale sind Freiheit, Selbstverwirklichung, Schönheit und Lebensfreude.

Camilles Bejahung von Leben und Schönheit

(Seine Begeisterung für das Griechische)

Camille ist aufgeschlossen für das Wesen der Kunst; in II, 3 bekommt er sogar Gelegenheit, ganz aus der Handlung herausfallend seine Kunstauffassung vorzutragen. Hier wirft er den Leuten (dem Theaterpublikum) vor: „Von der Schöpfung, die glühend, brausend und leuchtend, um und in ihnen, sich jeden Augenblick neu gebiert, hören und sehen sie nichts". Das ist ein völlig anderer Ton als bei Danton (etwa in der Ankleide-Szene II, 1; oder in III, 7: „Die Schöpfung hat sich so breit gemacht, da ist nichts leer. Alles voll Gewimmels"). Daß Camille als Künstler spricht, ist kennzeichnend für die ‚poetische' Anlage seiner Figur; Voraussetzung für seine ästhetische Position aber ist seine Lebensbejahung. Die steht (solange er sie durchhalten kann) in deutlichem Kontrast zu der Lebensverneinung seines Freundes Danton, wenn auch dessen epikureisches Genußstreben bisweilen einen ähnlichen Eindruck macht. Erst recht aber befindet sich Camille mit seiner Anerkennung der Dynamik des Lebens im Gegensatz zu dem moralischen Rigorismus Robespierres. Doch ist der liebenswerte Charme Camilles so groß, daß über diesen Gegensatz hinweg Camille der einzige ist, zu dem der finstere Robespierre seit Schulzeiten ein (im Rahmen seiner Möglichkeiten)

Camilles Begeisterung für die Kunst; seine lebensbejahend-dynamische Kunstauffassung

Camilles Verhältnis zu Robespierre

herzliches Verhältnis hat (II, 3; I, 6); über Camilles ‚notwendige Opferung' empfindet Robespierre echten Schmerz (I, 6).

Menschliche Beziehungen

Die Fähigkeit zu herzlichen und aufrichtigen menschlichen Beziehungen ist ein weiterer hervorstechender Charakterzug Camilles. Seine Freundschaft zu Danton geht weit über das Verhältnis politischer Kampfgefährten hinaus, ist auch vertrauter als das Freundschaftsverhältnis, das unter den Dantonisten allgemein herrscht. Und als innig und ergreifend ist die Liebe zwischen Camille und Lucile dargestellt. In II, 3 läßt sich die Tiefe dieser Beziehung an den Reaktionen Luciles erahnen; mit dem Näherrücken der tödlichen Bedrohung wird dann immer auffälliger, wie Camille sein Schicksal zuerst als Gefährdung „seiner" Lucile erfährt, während die Freunde vor dem *eigenen* Tod zurückschaudern; so lautet in der zweiten Verhör-Szene III, 9 Camilles spontane Reaktion auf die Verschärfung der Prozeßordnung und ihre Begründung mit Bestechungsversuchen Julies und Luciles: „Die Elenden, sie wollen meine Lucile ermorden!", – während Danton sich in sachbezogener Argumentation gegen diese Maßnahme empört.

– Freundschaft mit Danton

– Liebe zu Lucile

Verzweiflung Camilles angesichts des Todes;

Es fügt sich zu der weicheren Persönlichkeit und zu der Lebensfreude Camilles, daß er auf das unerbittliche Herannahen des Todes sehr viel emotionaler, entsetzter reagiert als seine Freunde; sein Gebaren in den Szenen ‚angesichts des Todes' grenzt an einen Zusammenbruch (III, 7; am stärksten IV, 3; IV, 5; auch noch IV, 7). Dabei ist zu beachten, daß Camilles Verzweiflung sich immer als Klage um die verlorene Schönheit des Lebens äußert; etwa IV, 3: „Es ist so elend sterben müssen. [. . .] Ich will dem Leben noch die letzten Blicke aus seinen hübschen Augen stehlen [. . .]". Und bei den entsetzlichen Alpträumen in derselben Szene hat Danton die Vision von sich unaufhaltsam zusammenschiebenden Wänden, Camille die von der herabsinkenden Himmelsdecke, unter der er wie ein Ertrinkender unter der Eisdecke taumelt: In Camilles Vorstellung steckt bei aller Verzweiflung die Sehnsucht nach Leben und Schönheit, während Danton nur das Grauen vor dem Ausgelieferten an eine Mechanik empfindet.

Klage um die verlorene Schönheit des Lebens

Die Klage um die verlorene Schönheit konzentriert sich für Camille in dem bis an die Grenze des Wahnsinns gehenden Leiden um Lucile; denn Lucile ist ihm der Inbegriff der Lebensschönheit. „Sie können die Hände nicht an sie legen. Das Licht der Schönheit, das von ihrem süßen Leib sich ausgießt, ist unlöschbar" (IV, 3): das entspricht exakt der Szene, in der Lucile den Tod Camilles nicht fassen kann und nicht fassen will, IV, 8. Und auf den Anblick der wahnsinnig gewordenen Lucile reagiert er mit Bildern, in denen er auch seinerseits die Grenzen der Rationalität überschreitet: „Was sie an dem Wahnsinn ein reizendes Kind geboren hat. Warum muß ich jetzt fort? Wir hätten zusammen mit ihm gelacht, es gewiegt und geküßt" (IV, 5).

Camilles Leiden um Lucile

Wenn Saint-Just die inhumanste Position in dem Stück einnimmt, insofern er ohne Rücksicht auf den Einzelmenschen in kühl-,wissenschaftlicher' Argumentation die Gesetze des „Weltgeists" zu vertreten glaubt, so verkörpern Camille und Lucile den äußersten Gegensatz dazu, die ,humane' Position, die darauf setzt, daß der einzelne Mensch das Recht und die Möglichkeit hat, zu leben und glücklich zu sein.

St. Just und Camille: inhumanste und humanste Position des Stücks

Camille scheitert mit seinem Glauben. Doch ist das ein tragisches Scheitern; d. h. damit, daß er zugrundegeht, ist sein Anspruch noch nicht widerlegt. Büchner würdigt ihn der poetischen Erhöhung, mit der der tragische Held seit der Antike ausgezeichnet wird: „Er als einziger unter den Hingerichteten wird auf der Bühne beklagt – stellvertretend für das Schicksal vieler, ja der Revolution selbst. Gegen das abstrakte Kalkül Saint-Justs ruft Luciles Klage das elementare Recht zu leben ins Bewußtsein" (Poschmann).

Camilles Scheitern hat die Qualität des Tragischen

Saint-Just

Saint-Just ist der ,Chefideologe' der jakobinischen Revolution: Als solchen kennzeichnet ihn Büchner durch die große Rede im Nationalkonvent II, 7, die keine dramaturgische Funktion hat, sondern aus-

St. Just als Chefideologie des Jakobinertums

schließlich der Darstellung der geschichtsphilosophischen Konzeption der Jakobiner dient.

Die Konventsrede St. Justs:

Themen der Konventsrede sind: Rechtfertigung des revolutionären Terrors mittels Gleichsetzung von physischer und geistiger Natur; die Gleichheit aller als Ziel des revolutionären Terrors; prophetische Proklamation einer Erneuerung der Menschheit durch den Terror der Revolution. Auch Saint-Just reflektiert also auf das Absolute, wie Robespierre; es geht ihm nicht um die bürgerlichen Freiheiten in der französischen Republik, sondern um die Er-

Die Erneuerung der Menschheit als Ziel der Revolution

neuerung der sündigen Menschheit. Unterschiede zwischen Robespierre und Saint-Just gibt es jedoch in der Begründung dieser Heilserwartung: Robespierre argumentiert moralisch, Saint-Just sozusagen naturwissenschaftlich; Robespierre empfindet die „Qual des Henkers", bei St. Just wird das Morden kühl-sachlich und ohne persönliche Anteil-

Wissenschaftlich-objektiver Stil der ideologischen Argumentation

nahme gerechtfertigt: die Ideologie gibt sich in verführerischer Weise wissenschaftlich-logisch und vernünftig. Natürlich kann Saint-Just deshalb auch keine monologische Selbstanalyse bekommen wie Robespierre und Danton: er hat sozusagen kein Inneres, und sicher hat er kein Gewissen, das ihn quälen könnte. Der persönlichen Verantwortung entzieht er sich durch die Berufung auf ein objektives, mit naturwissenschaftlicher Exaktheit analysierbares Gesetz der Geschichte.

Unmenschlichkeit St. Justs:
– Der Mensch wird zur Sache

Saint-Justs Haltung ist inhuman, *un-menschlich:* Einerseits, insofern er den Menschen schlicht mit der unbelebten Natur gleichsetzt und damit menschliche Kategorien wie Verantwortung ausschaltet; der Mensch als physikalische Größe wird zum verfügbaren Objekt gemacht. Andererseits entzieht sich Saint-Just dem Menschlichen durch den

– Die Verantwortung trägt ein transzendenter „Weltgeist"

Sprung ins Überindividuelle, ja Transzendente: nicht weniger als viermal wird in der Rede die „Menschheit" apostrophiert; und die Revolutionäre werden als Diener oder Mitarbeiter des „Weltgeists" gesehen. Diese Ausrichtung auf das große Allgemeine erlaubt es ihm, über das Einzelschicksal

– Das Einzelschicksal ist unerheblich

ungerührt hinwegzugehen: „Was liegt daran, ob sie an einer Seuche oder an der Revolution sterben?" Die ganze Rede ist voller Metaphern, die zwar als

Bilder stimmen, die aber herzlos sind; wie z. B. die Feststellung, daß, „wo der Gang der Geschichte rascher ist, auch mehr Menschen außer Atem kommen."

Entsprechend erscheint Saint-Justs Handeln in den übrigen Szenen, in denen er auftritt: objektiv, rasch und gewandt, mit sachlich-leidenschaftlichem Engagement, aber ohne persönliches Gefühl, ohne ‚Menschlichkeit' – wenn allerdings auch ohne niedrige Interessen und ohne persönliche Machtlust. In der Taktik-Diskussion mit Robespierre in I, 6 versteht es Saint-Just, durch seine Entschlossenheit dem zögernden Robespierre die Zustimmung zu seinen Plänen abzuringen. Der Schluß der Unterredung kontrastiert die Unbedenklichkeit und Unbeirrbarkeit Saint-Justs sehr grell mit der „Empfindlichkeit" Robespierres. Genauso zeigt sich Saint-Just auch III, 6 unter den Mitgliedern des Wohlfahrtausschusses: rasch, zielstrebig, unbeirrbar, auch skrupellos in der Benutzung der Denunziation Laflottes (an deren Haltbarkeit er offenbar selbst zweifelt); aber dabei doch scharf abgesetzt gegen die Grausamkeit und die Korruptheit der anderen Mitglieder, die ihren ausschweifenden Zynismus nur hinter seinem Rücken spielen lassen. Saint-Just ist frei von persönlicher Grausamkeit; aber mörderisch ist der Charakter seiner Logik, die ideologische Gewißheit, berufenes Werkzeug des Weltgeists zu sein.

Diese mörderische Seite der quasi-wissenschaftlichen Objektivität Saint-Justs wird von Barrère in der Wohlfahrtsausschuß-Szene III, 6 entlarvt: Zuerst, als er die Tödlichkeit von Saint-Justs Satzperioden beschwört, worin „jeder Punkt ein abgeschlagener Kopf ist"; und dann noch einmal, als er Saint-Justs Äußerung „Es gibt Leute im Konvent, die eben so krank sind wie Danton und die nämliche Kur fürchten" hinterher kommentiert: „Hast du das Wort Kur gehört?"

Sonstiges Auftreten St. Justs: Zielstrebigkeit und Entschlossenheit

– gegenüber Robespierre (I, 6)

– im Wohlfahrts- ausschuß (III, 6)

Entlarvung der Inhumanität der Position St. Justs durch Barrère

Die Danton-Freunde

Die Gruppe der Freunde und Anhänger Dantons besteht neben Camille aus Lacroix, Philippeau und Hérault; diese vier nennt z. B. St. Just in I, 6 als das Gefolge von „Pferden und Sklaven", das man auf Dantons „Grabhügel schlachten" müsse. – Typisch

für diese Danton-Freunde ist ihr Auftreten als zusammengehörige und zusammenstimmende Gruppe, deren parallele Äußerungen dasselbe Thema variieren: so etwa in I, 1 bei der Entwicklung des Liberalismus-Programms, so in IV, 5 bei dem Protest gegen die Sinnlosigkeit des Lebens. (Daß die Freunde beisammen sind, ist auch im Gefängnis kein bloßer Sachzwang, denn offenbar haben die Gefangenen soviel Bewegungsmöglichkeit, daß z. B. III, 7 Hérault abwesend sein kann oder IV, 3 Philippeau.)

Bei aller Geschlossenheit der Gruppe ist dennoch die Spannweite hinsichtlich der Charaktere und Haltungen beträchtlich, und Büchner kennzeichnet die einzelnen Dantonisten als deutlich unterscheidbare Individuen.

Lacroix wird in I, 4/5 gesondert eingeführt und zeigt sofort seine Individualität: Er denkt rational und nüchtern und analysiert scharf und klarsichtig (seine Einsicht in die Lage, etwa in I, 5 oder II, 1, ist so deutlich und korrekt wie bei keinem anderen, auch bei Danton nicht); er ist witzig und liebt Pointen und Wortspiele bis hin zum Zynischen, was ihn mit Danton verbindet und von den anderen unterscheidet. – Sein elitär-ausschweifender Lebensstil ist aus der Geschichte bekannt und wird von ihm selbst I, 5 bestätigt; daß Robespierre ihn einen „ausgemachten Spitzbuben" nennt (I, 6), mag aber mindestens genauso bezeichnend für Robespierres Wertmaßstäbe sein wie für den Lebenswandel des Lacroix; und daß Lacroix dieses Urteil akzeptiert (I, 5), ist nun wieder typisch für den spöttischen Zynismus des Lacroix, der sich auch gegen ihn selbst richtet. – Charakteristisch für die illusionslose Nüchternheit des Lacroix ist es, daß er an den politischen und weltanschaulichen ‚Bekenntnissen' nicht teilnimmt: Bei der Formulierung des Liberalismus-Programms in I, 1 läßt Büchner ihn nicht anwesend sein, bei den Protestschreien IV, 5 läßt er ihn schweigen. Der klardenkenden Sachlichkeit des Lacroix entspricht es auch, daß er mehrfach die Untätigkeit Dantons im Ton des Vorwurfs konstatiert (II, 1; III, 7; und vor allem III, 1), ohne daß es jedoch darüber zu einer Verstimmung käme. – Das letzte Wort des Lacroix vor der Hinrichtung (IV, 7) ist eine ganz korrekte Voraussage des Untergangs Robespierres, auch wenn Hérault über das Pathos spottet, das er zu unrecht darin zu hören meint.

Die farbloseste Gestalt unter den Danton-Freunden ist *Philippeau*; aber in dieser Farblosigkeit ist er von Büchner deutlich gezeichnet. Robespierre hält ihn im Gespräch mit St. Just (I, 6) nicht einmal eines abfälligen Kommentars für würdig. Dabei ist Philippeaus tiefste und echte Empörung über den Terror der Dezemvirn überall deutlich hörbar (etwa I, 1; II, 1). Allerdings ist es bezeichnend für eine gewisse Einfalt, daß er die „ehrlichen Leute", also die Republik- und Revolutionsfeinde, als Bundesgenossen empfiehlt (I, 1). – Im ‚Gefängnis-Teil' des Dramas zeigt Philippeau eine Frömmigkeit, die neben dem reflektierten Atheismus der Freunde naiv wirkt (III, 7 und IV, 5, auch IV, 7), ohne daß doch dieser weltanschauliche Unterschied das Zusammengehörigkeitsgefühl zu stören vermöchte.

Philippeau:
ehrlich, naiv,
fromm

Hérault hält sich etwas distanzierter von den übrigen; man merkt ihm sozusagen an, daß er aus anderen Verhältnissen kommt (der historische Hérault war einer der Aristokraten, die früh zur Revolution gestoßen waren). Er wird vor den anderen eingeführt – im Spielsalon, was zu seiner tändelnden Leichtfertigkeit paßt; er wird auch vor den anderen verhaftet (bei deren Einlieferung III, 1 ist er schon im Gefängnis); und er fehlt bei einigen der ‚existentiellen' Gespräche (II, 1 und III, 7). Andererseits ist es gerade Hérault, der kurz vor dem Tod durch Gesten schlichter, unverkrampfter Menschlichkeit zu immer eindrucksvollerer Statur aufwächst (IV, 4 und IV, 7).

Hérault:
aristokratenhaft,
leichtfertig;
am Ende von
beeindruckender
Menschlichkeit

Der innere Zusammenhalt der Dantonisten, ihre ‚charakterliche Echtheit' und ihre Freundschaft läßt sie eindrucksvoll und sympathisch erscheinen, vor allem im Kontrast zu der zweifelhaften Gefolgschaft Robespierres; mögen im einzelnen auch die Leichtfertigkeit, die den meisten der Danton-Freunde anhaftet, und der Hang zum Luxus, den Robespierre als „Laster" geißelt, einige Schatten auf das Bild werfen.

Die Robespierristen

Uneinheitlichkeit und geringe Individualität der Robespierre-Anhänger

Im Gegensatz zu den Danton-Freunden bilden die Gefolgsleute Robespierres keine homogene, in sich geschlossene Gruppe. In der ersten Dramenhälfte, solange Robespierre selbst auf die Bühne kommt, sind außer Saint-Just überhaupt keine individuellen Robespierristen zu unterscheiden, sondern nur begeisterte oder zur Begeisterung hingerissene Massen: das Volk, die Jakobiner, die Abgeordneten des Konvents. Im III. Akt werden zwei Kategorien von Gefolgsleuten Robespierres sichtbar: die Funktionäre des Revolutionstribunals (III, 2, 4, 8, 9) und einige Mitglieder des Wohlfahrtsausschusses (III, 6).

Die Funktionäre des Revolutionstribunals:

Die Funktionäre des Revolutionstribunals sieht man in III, 2 in typischer Aktion: Fouquier, der öffentliche Ankläger, und Herrmann, Präsident des Revolutionstribunals, überlegen, mit welchen illegalen Tricks man die Verurteilung Dantons und seiner Freunde durchsetzen kann. Verglichen mit St. Justs Benutzung der Anzeige Laflottes (III, 6) ist diese Darstellung in jeder Hinsicht negativer, schon weil hier überhaupt keine politische Zielsetzung erkennbar ist, sondern nur das Manipulieren der Handlanger. Die negative Darstellung dieser Manager des Revolutionstribunals wird noch verstärkt, wenn in III, 8/9 Fouquier trotz aller illegalen Praktiken rat- und hilflos erscheint und nur mit Mühe durch die neue Prozeßordnung (eine weitere rechtlich fragwürdige Maßnahme) gerettet wird.

Negativ dargestellte Handlanger

Die Mitglieder des Wohlfahrts-ausschusses:

Die Mitglieder des Wohlfahrtsausschusses, die andere Kategorie der Robespierristen, zeigen sich – durchaus im Unterschied zu Robespierre und St. Just selbst – als grausame, skrupellose und egoistische Bösewichte. In der Szene III, 6 schockiert zunächst die zynische Grausamkeit, mit der Billaud und Collot Anfragen und Bitten aus den Gefängnissen beantworten. Gegen Schluß der Szene erweisen sich diese Wohlfahrtsausschuß-Mitglieder geradezu als „Spitzbuben": Sie stimmen keineswegs mit den Tugendprinzipien Robespierres überein, sondern sind nur aus egoistischen Motiven bisher dessen Weg mitgegangen, sind aber durchaus gewillt, ihre Interessen (das „Laster") notfalls auch mit der Guillotine gegen Robespierre zu verteidigen. Den letzten Szenenteil bildet der Monolog, in dem Barrère sich Rechenschaft ablegt über seine opportunistische Beteiligung an den Grausamkeiten des Wohlfahrtsausschusses (auch in dieser vorliegenden Szene ist er ja an dem Treiben Billauds und Collots mitschuldig geworden). Schon vorher war es Barrère, der gegen die Denkweise St. Justs protestierte („Hast du das Wort Kur gehört?"); jetzt ist seine Verurteilung seiner Kollegen hart und eindeutig: „Die Ungeheuer! ,Es ist noch nicht lange genug, daß du den Tod wünschest!' Diese Worte hätten die Zunge müssen verdorren machen, die sie gesprochen."

Barrère ist dadurch herausgehoben, daß ihm Büchner diese Gelegenheit zu monologischer Selbstanalyse gibt; um so stärker wirkt seine Verurteilung der Robespierristen. Andererseits jedoch bleibt Barrère auch weiterhin seinem Opportunismus, der Wahrung seiner persönlichen Interessen verhaftet; seine Kritik äußert er nicht dem Kritisierten gegenüber, sondern immer erst hinterher, wenn sie nichts mehr nützt, – aber auch ihm nichts schadet. (Überdies gerät Barrères Selbstanalyse dadurch in ein schiefes Licht, daß sie der des Verräters Laflotte in III, 5 so außerordentlich ähnlich klingt.)

Schließlich gibt es im IV. Akt die für die Handlung ganz unerhebliche, also offenbar der Charakterisierung dienende kurze Szene IV, 2, in der Dumas, einer der Präsidenten des Revolutionstribunals, seinen Tiger-Sinn enthüllt, wenn er erzählt, daß Revolutionstribunal und Guillotine seine Ehe scheiden werden. Der Bürger, mit dem Dumas da spricht, reagiert entsetzt: „Du bist ein Ungeheuer!" und: „Das ist entsetzlich." Für den Zuschauer erscheint diese

Skrupellose und egoistische Spitzbuben

Ihre Bereitschaft zum Verrat an Robespierre

Barrères Verurteilung seiner Kollegen

Der selbstkritische Monolog Barrères in III, 6

Belastung der Robespierristen durch die Dumas-Szene IV, 2

Szene um so entsetzlicher, als sie in hartem Kontrast auf die Szene folgt, in der Julie Treue über den Tod hinaus verspricht.

Verstärkt wird der Eindruck der Grausamkeit bei den Robespierristen-Szenen der zweiten Dramenhälfte auch dadurch, daß diese Szenen in ständigem Wechsel mit der Sphäre der Gefängnisse konfrontiert werden, so daß der Zuschauer beständig Ursache und Wirkung nebeneinandergestellt sieht.

Die Volksszenen

Zur ‚Person‘ des Volkes wurde das Wesentliche schon bei der Analyse der großen Volksszene I, 2 und in dem Abschnitt ‚Die Darstellung der politischen Gruppierungen‘ im Thematik-Kapitel gesagt.

Charakteristika des Volks:

Volksszenen sind I, 2; II, 6; III, 10 (die Promenaden-Szene II, 2 führt eine ‚gehobenere‘, bürgerliche Gesellschaft vor). Diese Szenen zeigen drei charakteristische Eigenschaften des Volkes:

– Materielle Not

▶ Die elende materielle Lage, die Mitleid hervorruft und die Forderung sozialer Verbesserungen geradezu aufdrängt (I, 2; II, 6; III, 10).

– Unberechenbarkeit

▶ Die Unberechenbarkeit des Volkes, das plötzliche Umschlagen der Stimmung (vgl. die Lynchszene!), die Unklarheit über die Ziele und die daraus folgende Anfälligkeit für Demagogie (I, 2; III, 10; auch II, 2).

– Groteske Züge

▶ Komische, zum Teil groteske Züge des Volkes, konkretisiert vor allem in Simon (I, 2; II, 2; II, 6).

Das Volk als Voraussetzung für den Verlauf des Konflikts

Es scheint nicht akzeptabel, dieses Volk als den eigentlichen (positiven) ‚Helden‘ des Stücks hinzustellen, wie es marxistische Interpretationen meist tun. Deutlich ist vielmehr Büchners Absicht einer realistischen Darstellung der Basis, auf der allein diese Revolution sich entwickeln konnte und die Voraussetzung für den Verlauf des Konflikts zwischen Danton und Robespierre ist.

Belastung der Dantonisten durch die Volksszenen

Denn insofern die Volksszenen alle die elende Lage des Volkes hervorheben, sind sie belastend für die Leute, die sich in aristokratenhaftem Palais-Royal-Treiben ergehen, also für die Dantonisten. Da Robespierre die Forderung nach sozialer Revolution stellt (wenn er sie auch nicht expliziert), müßte das Volk auf seiner Seite stehen. Das ist freilich weder in I, 2 noch in III, 10 so ganz eindeutig: das Volk muß erst durch Agitation (oder Demagogie) gewonnen werden. Letzten Endes aber entscheidet es sich für Robespierre. Selbst wenn man in III, 10 an einen geschickt arbeitenden Agenten denkt, der die Volksstimmung im Sinne Robespierres zu beeinflussen versteht: das Umschlagen der Stimmung in dieser Weise ist trotzdem nur möglich, weil Danton tatsächlich von seinem Lebensstil verklagt wird.

Jedoch verhindert Büchner eine eindeutige Tendenz der Volksszenen dadurch, daß er das Volk in keiner Weise idealisiert, sondern mit ungeschöntem Realismus in seinen Widersprüchlichkeiten und Fragwürdigkeiten darstellt.

Julie und Lucile

Zu den eindrucksvollsten und individuellsten Personen des Dramas gehören die Frauen Dantons und Camilles. Zwar treten sie jeweils nur viermal auf (Julie: I, 1; II, 5; IV, 1; IV, 6; – Lucile: II, 3; IV, 4; IV, 8/ 9; außerdem ist Julie gegenwärtig in den Gedanken Dantons in III, 7 und IV, 3 Lucile in denen Camilles in III, 9, IV, 3 und IV, 5). Doch obwohl sie nur relativ wenig Text haben, ist ihr Einfluß auf Atmosphäre und Wirkung des Stücks bedeutend.

(Ein äußeres Indiz dafür, wie sehr es Büchner auf das Sterben der Frauen mit ihren Männern ankam, ist übrigens die Tatsache, daß er sich hier die einzige nennenswerte Veränderung der historischen Fakten hat zuschulden kommen lassen: Die historische Lucile suchte nicht selbst den Tod, sondern wurde einen Tag vor Camilles Hinrichtung verhaftet und eine Woche nach ihm guillotiniert; und Dantons zweite Frau, mit der er seit 1793 verheiratet war und die in Wirklichkeit Sophie oder Luise hieß, starb keineswegs mit ihrem Mann, sondern heiratete drei Jahre später einen Aristokraten und lebte noch bis 1856, also bis lange nach Büchners Tod.)

In den beiden Frauen wiederholt Büchner in etwa die Konstellation zwischen Danton und Camille, nur daß er allerdings Julie und Lucile nirgends zusammenkommen läßt. Lucile ist die weichere, poetischere, ihre Todesszenen am Dramenschluß sind erschütternd; Julie ist stärker, gefaßter; ihr Sterben beeindruckt durch seine unpathetische Schlichtheit, nahezu Selbstverständlichkeit.

Lucile:
Eine durch ihre seelische Intensität poetische Gestalt

Wie Camille von Anfang an durch seine Griechen-Begeisterung gewissermaßen ‚poetisiert‘ ist, so erscheint auch seine Lucile schon bei ihrem ersten Auftreten in II, 3 als ‚poetische‘ Gestalt; ‚poetisch‘ hinsichtlich der seelischen Intensität ihrer Beziehung zu Camille. „Ich *seh* dich so gern sprechen“, sagt sie; und als er fragt, ob sie denn auch rational aufgenommen habe, was er gesagt habe, weist sie dies Ansinnen geradezu empört zurück: „Nein wahrhaftig nicht“: Für sie dient Sprechen nicht der Mitteilung von Überlegungen, sondern ist eine direkte Äußerung der Seele – etwa so, wie wenn man ein Volkslied singt. Und eben deshalb ist auch das Volkslied eine für Lucile typische Ausdrucksweise: Das Unbewußte, die Seele Bedrängendes findet im Volkslied einen Weg, sich unmittelbar zu äußern, ohne rationale Begründung. Etwas Ähnliches ist es, wenn die tödliche Angst der Seele in visionären Bildern Gestalt wird, wie hier in der Vorstellung von dem Zimmer, in dem ein Toter gelegen hat. Der Wahnsinn Luciles ist eigentlich nur die extremste Form dieses unmittelbaren Ausdrucks einer Seele, die sich unter dem Druck des Leids gänzlich von der Aufsicht rationalen Denkens losgemacht hat.

Das Leiden Luciles demonstriert die grausame Sinnlosigkeit des Geschehens

Tatsächlich vermitteln ja die Wahnsinns-Vorstellungen Luciles – das Bild von dem langen Steinrock und der eisernen Maske, die Camille hindern, sie zu umarmen und zu küssen – das Bewußtsein der grausamen Sinnlosigkeit des Gefangensein und Getötetwerdens viel unmittelbarer und stärker als das Räsonieren der Männer. Deshalb ist es auch Lucile, der Büchner die Schlußszenen des Dramas zuteilt:

Deshalb hat Lucile die Schlußszenen des Stücks

die wieder zur Besinnung kommende Lucile, der es doch fast unmöglich ist, das Unfaßbare des Todes Camilles zu begreifen, und die dann auf den Stufen des „Todesengels“ Guillotine das Lied vom Schnitter Tod singt: Totenklage für Camille und darüber hinaus vielleicht für all die vielen Opfer der Revolution.

Zugeordnet ist die so gezeichnete Lucile eindeutig ihrem Camille, der allein an ihre Leidensfähigkeit heranreicht: auch er hat einen Zusammenbruch, der ihn an den Rand des Wahnsinns treibt (IV, 3); auch er spricht gelegentlich seine Seele unmittelbar in Bildern aus (etwa IV, 5: „Was sie an dem Wahnsinn ein reizendes Kind geboren hat [. . .]“), er besitzt das Gefühl für Schönheit, und deshalb ist auch ihm (wie Lucile in IV, 8) die Vernichtung des geliebten Menschen geradezu un-denkbar (IV, 3).

Innere Verwandtschaft von Lucile und Camille

Dantons Frau Julie ist, verglichen mit Lucile, gefaßter und stärker, – wie ja auch Danton stärker ist als Camille. Aber Julie erscheint sogar gefaßter und stärker als Danton selbst; auch unverkrampfter und ernsthafter. Sie besitzt eine Sicherheit, die auf Danton ausstrahlt: Bemerkenswerterweise ist er an den Stellen am ernsthaftesten und unverkrampftesten, wo er an Julie denkt; so in IV, 3 in der Passage am Fenster: „Ich werde nicht allein gehn, ich danke dir, Julie. [. . .] Wie schimmernde Tränen sind die Sterne durch die Nacht gesprengt, es muß ein großer Jammer in dem Aug sein, von dem sie abträufelten.“ Da ist Danton gleich weit entfernt von Zynismus und von verzweifeltem Protest, den beiden Haltungen, die er sonst in den ‚Szenen angesichts des Todes‘ einnimmt. – Die Passage Dantons ist eine vorweggenommene Parallele zu Julies Todesszene IV, 6: auch Julie steht am Fenster und blickt auf die Gestirne – sie sieht die abendliche Erde „in der Flut des Äthers“ dahintreiben und klagt, daß niemand „aus dem Strom sie ziehen und sie begraben“ will. Aber bei aller Parallelität bleiben zwischen den beiden Passagen charakteristische Unterschiede: Wo bei Danton der irreale Wunsch steht („Doch hätte ich anders sterben mögen“), da hat Julie eine schlichte, ihr Schicksal akzeptierende Aussage („Es ist so hübsch Abschied zu nehmen“); während Danton bei dem „großen Jammer“ endet, konstatiert Julie einfach „Ich gehe leise“: – Was Danton sich nur vergeblich wünscht, „so ganz mühelos“ zu sterben, das scheint seiner Frau zu gelingen.

Julie: Gefaßtheit, Sicherheit, innere Stärke

Die „Mühelosigkeit“ ihres Sterbens:

Auch ist Julie ausgeglichener als Danton, sich selber gleich bleibend. Danton entscheidet sich noch am Ende derselben zitierten Szene tiefsten Betroffenseins (IV, 3) dann doch plötzlich für die leichtfertige ‚Pucelle'; solche Stimmungsumbrüche sind Julie fremd. Sie ist in allen ihren Szenen dieselbe ernsthafte, gefaßte, zurückhaltende Julie. So lernt man sie in der Eingangsszene kennen, wo Danton ihr gegenüber sein Thema von der Unmöglichkeit zwischenmenschlicher Kommunikation exponiert und ihr die befremdliche Liebeserklärung macht „Ich liebe dich wie das Grab" – was man aufs erste Hören vielleicht mißverstehen wird, was vom Fortgang her aber doch wohl als echte Liebeserklärung zu interpretieren ist – als die Gewißheit von Ruhe und Geborgenheit, soweit die für Menschen erreichbar sind. – Es ist deshalb Julie, die Danton in der nächtlichen Szene II, 5, als die Erinnerung an die ‚Septembermorde' ihn hetzt, Halt und Sicherheit zu geben vermag, wiederum: soweit das überhaupt für Menschen möglich ist. Doch bis zu einem gewissen Grad ist es möglich, und insofern widerlegt Dantons Verhältnis zu Julie – teilweise – seine theoretische Position von der Unmöglichkeit zwischenmenschlicher Kommunikation.

Die dramatische Bauform

In einem Brief an die Familie über „Dantons Tod" vom 28. Juli 1835 formuliert Büchner in scharfer Abgrenzung gegen jede idealistische Stilisierung seine realistische Kunsttheorie:

Büchners
anti-idealistische
Kunsttheorie:

> „Wenn man mir übrigens noch sagen wollte, der Dichter müsse die Welt nicht zeigen, wie sie ist, sondern wie sie sein solle, so antworte ich, daß ich es nicht besser machen will als der liebe Gott, der die Welt gewiß gemacht hat, wie sie sein soll. Was noch die sogenannten Idealdichter anbetrifft, so finde ich, daß sie fast nichts als Marionetten mit himmelblauen Nasen und affektiertem Pathos, aber nicht Menschen von Fleisch und Blut gegeben haben, deren Leid und Freude mich mitempfinden macht und deren Tun und Handeln mir Abscheu oder Bewunderung einflößt. Mit einem Wort, ich halte viel auf Goethe oder Shakespeare, aber sehr wenig auf Schiller. [Klett-„Danton" S. 89 f.]

Das sind dieselben Gedanken, die in „Danton" II, 3 Camille geäußert hat. Ein drittes Mal läßt Büchner sie in der Erzählung „Lenz" durch den Sturm- und Drang-Dichter Lenz vortragen:

> „Ich verlange in allem — Leben, Möglichkeit des Daseins, und dann ist's gut; wir haben dann nicht zu fragen, ob es schön, ob es häßlich ist; das Gefühl, daß, was geschaffen sei, Leben habe, stehe über diesen beiden und sei das einzige Kriterium in Kunstsachen." [Werke I, 86 f.]

„Leben,
Möglichkeit
des Daseins"

Bei dieser theoretischen Position ist es selbstverständlich, daß Büchner sich nicht der Stilisierung der klassizistischen Dramenform unterwirft (er schreibt nicht in Versen, er hält sich nicht an das 5-Akte-Schema), sondern daß er auch durch die dramatische Bauform seinem Stück Leben und Möglichkeit der Entfaltung sichert. Das heißt, „Dantons Tod" gehört nicht zur *geschlossenen*, sondern zur *offenen Form des Dramas* (wie die Dramen des Sturm

„Dantons Tod"
als Vertreter
der offenen
Dramenform

85

und Drang, z. B. die von Jakob Michael Reinhold Lenz, dem ‚Helden' von Büchners Erzählung).

Volker Klotz hat in seiner Untersuchung ‚*Geschlossene und offene Form im Drama*' (München 1960) diese beiden Dramentypen einander gegenübergestellt. Die grundsätzlichen Unterschiede lassen sich in folgender Tabelle (s. S. 87) zusammenfassen.

Behandlung des Raums in „Dantons Tod": Mannigfaltigkeit charakterisierender Orte

Eindeutig nach Art des offenen Dramas behandelt Büchner im „Danton" den Raum: Es gibt keine Einheit des Ortes; vielmehr geht es darum, schon durch den raschen Wechsel der verschiedenartigsten Schauplätze die ganze Vielfalt des Revolutions-Szenarios vorzuführen: Jakobinerklub, Konvent, Revolutionstribunal; Spielzimmer und Palais Royal; Gasse der Plebejer und Promenade der Bürger; Privaträume bei Robespierre, Danton, Camille; die Gefängnisse: – das sind keine beliebigen Schauplätze, sondern handlungsrelevante, ‚mitspielende' Orte.

Personenvielfalt

Dieselbe Absicht, die unübersichtliche Vielfalt des Lebens in dieser chaotischen Umbruchzeit darzustellen, zeigt sich auch in der großen Personenzahl: 27 Einzelpersonen werden im Personenverzeichnis genannt. (Schiller hat in den „Piccolomini" 19, in „Wallensteins Tod" 23 Personen; streng gebaute klassische Dramen wie Goethes „Iphigenie" und „Tasso" haben nur 5.) Allerdings tritt die soziale Schichtung bei weitem nicht so stark hervor wie die Unterschiede in der Weltanschauung: außer Simon und seinem Weib gehören die einzeln genannten Personen alle mehr oder weniger zu derselben Schicht der revolutionstragenden bürgerlichen Intelligenz.

Die Zeitstruktur des „Danton"

Die Zeit der Dramenhandlung erstreckt sich von der Hinrichtung der Hébertisten am 24. März 1794 bis zur Hinrichtung der Dantonisten am 5. April: 13 Tage sind deutlich mehr als die 4 Tage der „Wallenstein"-Trilogie, aber eine viel geschlossenere zeitliche Einheit als beispielsweise die mehreren Monate von Goethes „Götz" oder gar die 12 Jahre von Brechts „Mutter Courage". Zudem bilden die Akte des „Danton" jeweils ein einigermaßen deutliches Zeitkontinuum:

▶ Im I. Akt hängen die Szenen 2–5 dicht und deutlich erkennbar aneinander; die Schlußszene I, 6 spielt 24 Stunden später. Nur die Eingangsszene I, 1

	Geschlossene Dramenform:	**Offene Dramenform:**
Gesamt-struktur:	Ausschnitt als Ganzes	Das Ganze in Ausschnitten
	Geistige Totalität, in einem re-präsentativen, in sich „geschlos-senen" Ausschnitt dargestellt	Empirische Vielfalt, nur in „offen" bleibenden, unabgeschlossenen Fragmenten darstellbar
Kompositions-prinzipien:	Ganzheit, Einheit, Kontinuität	Vielfalt, Pluralität, Widersprüche
	Unselbständigkeit und Unver-wechselbarkeit der Teile	Selbständigkeit der Teile
	Einheitliches ist strukturiert	Gleichwertiges wird gereiht
	Schlüssige Handlungsführung	Handlungsführung unabgeschlossen
	Vorrang der Handlungs-entwicklung	Vorrang der Situations-darstellung
	Ausgewogenheit von Spiel und Gegenspiel	Gegenspieler des Helden ist keine Einzelperson, sondern die Welt in der Fülle ihrer Erscheinungen
	Der Akt als Formeinheit	Die Szene / der Szenenteil als Formeinheit
	Einheit von Zeit, Raum, Handlung	Vielfalt von Zeit, Raum, Handlung
Zeit:	Einheit und Kürze der Zeit	Weite zeitliche Erstreckung
	Kontinuierlicher Zeitfluß	Keine zeitliche Kontinuität
	Einordnung des Augenblicks in das organische Zeitganze	Übermacht des einzelnen Augenblicks
Raum:	Einheit und Geschlossenheit des Raums	Mannigfaltigkeit des Raum-ganzen ‚Welt'
	Typisierender Raum, atmosphärisch neutral	Charakterisierender Raum, aktiv mitwirkend, handlungs-relevant
Personen:	Geringe Personenzahl	Große Personenzahl
	Hoher Stand der Personen; Unabhängigkeit von Umwelt- und Milieubindungen	Vertreter verschiedener Stände; Anhängigkeit von Umwelt-bedingungen
Sprache:	Einheitlich hoher Stil; keine Stilmischung, keine Idiomatik	Verschiedene Sprachschichten; Mischung; Umgangssprachliches
	Klare Bewußtheit, Überschau, Abstraktion, logische Gedanken-führung	Geringe Bewußtheit, Spontaneität, Augenblicksverhaftung, sinnliche Anschaulichkeit und Konkretheit der einzelnen Eindrücke
	Überschau	Augenblicksverhaftung
	Hypotaktischer Satzbau (Fügung)	Parataktischer Satzbau (Reihung)
	Allgemeingültige Sentenzen	Volkslied; [Märchen; Bibel]
	Vers	Prosa

steht in unklarem zeitlichem Abstand zum Folgenden (denkbar wäre auch ein unmittelbarer Zusammenhang).

▶ Im II. Akt hat man sich die Szenen 1–6 vermutlich im Verlauf eines Tages zu denken: Nach dem Ankleiden am Morgen geht Danton mit Camille in dessen Wohnung; dort wird er gewarnt; er flieht und kehrt wieder um; nachts hat er die ‚September'-Vision; später in der Nacht wird er verhaftet. – II, 7 spielt am Tag danach im Nationalkonvent. – Der II. Akt fällt demnach auf den 31. März/1. April.

▶ Der III. Akt schließt nicht nur unmittelbar an, sondern überschneidet sich sogar mit dem Schluß von II: Die Einlieferung der Dantonisten ins Gefängnis und die Diskussion im Konvent über die Verhaftung müssen ungefähr gleichzeitig sein. Im übrigen ist erkennbar, daß der III. Akt die Zeit von der Verhaftung bis zum Tag vor der Hinrichtung umfaßt, also den 1.–4. April; die drei Verhöre, die in diese Zeit fallen, werden erwähnt. Es ist aber nicht deutlich, wo man sich innerhalb des Aktes die Zeitsprünge zu denken hat, die sich von außen her ermitteln lassen; die Szenenfolge erweckt eher den Eindruck eines raschen, unaufhaltsamen Ablaufs.

▶ Der IV. Akt reicht vom Abend vor der Hinrichtung bis zum Hinrichtungstag, dem 5. April.

Auswahl und Abgrenzung des Stoffs: Daß die Zeitstruktur des „Danton" der Technik des geschlossenen Dramas näher steht als der des offenen Dramas, hängt damit zusammen, wie Büchner den Stoff seines Stückes abgegrenzt hat: Er gibt ja nicht ‚das Ganze in Ausschnitten', sondern eher einen ‚Ausschnitt als Ganzes' wider, indem er die ihn beschäftigende Problematik der Französischen Revolution auf die kurze Etappe des Untergangs Dantons konzentriert. Gezeigt wird Endphase und Höhepunkt eines Ganzen, das übrige wird integriert: das läßt sich über „Dantons Tod" fast so gut sagen wie über Schillers „Wallenstein". Allerdings ist mit dem Tod Dantons noch nicht das Ende der Revolution erreicht, auch nicht mit dem durch Vorausdeutungen in das Stück integrierten Sturz Robespierres; – und wie es danach weitergehen wird, bleibt ganz und gar offen. Insofern repräsentiert der „Danton" *keine* ideelle Totalität: eine übergeord-

Konzentration auf einen kurzen Abschnitt;

aber keine ideelle Totalität

nete, sinnstiftende Idee ist gerade unkenntlich geworden, das Stück muß sich eben doch mit *Ausschnitten* aus der empirischen Realität begnügen. – Im einzelnen sind deshalb auch die Zeitverhältnisse eher nach der Technik des offenen Dramas behandelt: die ‚Übermacht des einzelnen Augenblicks‘ läßt das im Prinzip vorhandene Zeitkontinuum kaum zur Geltung kommen; der Zuschauer ‚erlebt‘ nicht den zeitlichen Zusammenhang, sondern die jeweils vereinzelte Situation.

Ähnliches gilt für die Handlungsführung. Natürlich läuft das Drama auf den Tod Dantons zu; aber es ist keineswegs von diesem Ziel her durchgehend strukturiert. „Dantons Tod“ wirkt nicht dynamisch, sondern statisch: Deutlicher als eine Handlungskurve des ganzen Stücks treten die vier Akte als gesonderte Etappen auf dem Weg zu Dantons Untergang in Erscheinung; und innerhalb der Akte haben die Einzelszenen ein großes Eigengewicht. Es geht nicht um die Spannung des Handlungsverlaufs (der Untergang Dantons ist ja auch spätestens seit dem Ende des I. Aktes gewiß), sondern um die Darstellung der einzelnen Situation, der Umstände, die die Handlung bedingen.

Stellung und Funktion der Einzelszenen werden gerade an denjenigen Szenen bzw. Teilszenen besonders deutlich, die für den Handlungsverlauf irrelevant sind; das sind die Marionszene in I, 5, die kunsttheoretische Erörterung Camilles in II, 3, das Philosophengespräch in III, 1; die ganze Promenaden-Szene II, 2 und die Dumas-Szene IV, 2. Insofern es Büchner gar nicht um die zielstrebige Handlungsentwicklung geht, sondern um ausgedehnte Situationsdarstellung, sind diese Szenen keineswegs uberflussig. Bei der Dumas-Szene etwa, gerade in ihrer Konfrontation mit Julies Todesentschluß, ist die charakterisierende Funktion unverkennbar: die Absicht, Zustände, Verhaltensweisen und menschliche Reaktionen auf politische Verhältnisse zu veranschaulichen. – Aber auch viele Szenen, die sich insgesamt der Haupthandlung durchaus unterordnen, sind in Teilen oder in manchen Zügen stärker auf die Situationsdarstellung als auf die Handlungsführung bezogen: z. B. in II, 7 die Rede Saint-Justs;

Handlungsführung:
Nicht zielgerichtet;
Selbständigkeit
der Teile

Wichtigkeit der
handlungsbedin-
genden Umstände

Funktion der für die
Handlung
überflüssigen
Szenen:

Situations-
darstellung

große Teile der Wohlfahrtsausschuß-Szene III, 6; und eigentlich alle Gefängnisszenen, in denen ja die Handlung nicht mehr vorwärtsrückt (es gibt auch keine innere Entwicklung der Dantonisten). Die große Volksszene I, 2 hat zwar am Schluß ein Ergebnis für die Handlung (die Masse wendet sich zu Robespierre), stärker aber bezieht sie sich auf die Handlungsvoraussetzungen (Not des Volkes), und in den Simon-Teilen dient sie der Milieuschilderung, der (in diesem Fall entlarvenden) Charakterisierung des Volkes.

Widersacher des Helden: die Verhältnisse, nicht eine Einzelperson

„Gegenspieler des Helden im offenen Drama ist nicht eine Person, sondern die Welt in der Fülle ihrer Einzelerscheinungen" (Klotz). In „Dantons Tod" ist zwar mit Robespierre ein personaler Gegenspieler vorhanden; aber das ‚Duell' zwischen den beiden Kontrahenten, das im geschlossenen Drama gern in der Mitte und im Zentrum steht (wie in Schillers „Maria Stuart" der Streit der Königinnen), erfolgt hier schon am Ende des I. Akts; und nach der Hälfte des Stücks scheidet der personale Gegenspieler ganz aus, so daß eben die Situation, die politischen Verhältnisse, die Zeitumstände der Widersacher sind, an dem Danton zugrunde geht.

Prinzipien der Szenen-Abfolge

Auch für die Aufeinanderfolge der Szenen ist nicht primär die Entwicklung der Handlung maßgebend (die oft nur sprunghaft skizziert wird), sondern viel stärker die Entfaltung des Themas durch Darstellung verschiedenartiger Realitätspartikel. Dabei

Technik des radikalen Szenenumbruchs

wird sehr häufig die harte Kontrastierung zweier Szenen gesucht, der radikale Umbruch der Stimmung; – die Personen werden sowieso (in einer für das klassische Drama unerhörten Weise) von Szene zu Szene regelmäßig vollständig ausgewechselt. Das Verfahren soll die Gegensätze und Widersprüche herausarbeiten, die letzten Endes den Gang der Handlung bestimmen. Nebenher dient es oft auch dazu, dem Aufkommen von Ergriffenheit oder Pathos entgegenzuarbeiten, durch das „Prinzip des antipathetischen Gegensatzes" (Viëtor). So wird das Liberalismus-Programm der Dantonisten durch die Volksszene I, 2 in seiner Fragwürdigkeit entlarvt; – der starke Eindruck von Dantons Gewissensqualen wird durch das Herumalbern der Verhaftungskommandos zerstört (II, 5/6), ebenso die Ergriffenheit angesichts von Julies ruhigem Sterben durch das laute und wüste Treiben auf dem Revolutionsplatz (IV, 6/7); usw. Manchmal wirkt solche Nebeneinanderstellung allerdings auch pathossteigernd, wie etwa bei der Kontrastierung von Julie und Dumas, IV, 1/2; oder (innerhalb einer Szene) die Kontrastierung Luciles mit den Guillotinen-Weibern und mit dem singenden Henker in IV, 8–9.

Das Prinzip der lockeren Reihung, also der Verselbständigung der Teile, das zwischen den Szenen herrscht, setzt sich bis in die Einzelszene hinein fort: typisch für das offene Drama ist der additive Szenenbau, der im „Danton" geradezu die Normalform ist: Die Eingangsszene I, 1 ist zweiteilig, die Volksszene I, 2 vierteilig, die Marionszene I, 5 dreiteilig, die Szene I, 6 vierteilig; später etwa die Wohlfahrtsausschußszene III, 6 fünfteilig; usw.

Prinzip des additiven Szenenbaus (Mehrteiligkeit der Szene)

Eine Eigenart speziell von „Dantons Tod" ist das starke Hervortreten des Monologischen. Der Monolog gehört nicht zur Typik des offenen Dramas (Monologisieren ist als etwas Unnatürliches dieser Dramenform eher fremd), sondern entspricht der speziell in diesem Stück dargestellten Weltsicht: der Isolation des einzelnen und der Unmöglichkeit zwischenmenschlicher Kommunikation. Es sind Monologe, in denen die Personen des „Danton" ihre tiefsten, eindringlichsten und aufschlußreichsten Gedanken formulieren: Robespierre in der nächtlichen Szene I, 6; Danton auf der Flucht II, 4 und neben dem schlafenden Camille, IV, 3; Barrère am Schluß der Wohlfahrtsausschußszene III, 6; Julie in ihrer Sterbeszene IV, 6 und auch in IV, 1; Lucile bei ihrer bangen Vorahnung am Schluß von III, 3 und in der Wahnsinnsszene IV, 4. Von den wichtigen Äußerungen fällt eigentlich nur Dantons ‚September'-Szene II, 5 aus dieser Reihe, bei der er Julie als Partnerin hat.

Häufigkeit des Monologs: Ausdruck menschlicher Isolation

Die Sprache des Stücks

Zum Wesen des offenen Dramas gehört es auch, daß die Sprache jede Stilisierung meidet und die Wirklichkeit unmittelbar zu Wort kommen läßt. In der **Konkrete** Tat ist „Dantons Tod" außerordentlich realistisch **Anschaulichkeit** hinsichtlich der Anschaulichkeit der Wortwahl, de-**der Wortwahl** ren Direktheit für Büchners Zeit bemerkenswert ist, auch beispielsweise vor Fachausdrücken nicht zurückschreckt (*Schädeldecken, Hirnfasern, Sublimatpille, Leibgrimmen, Eingeweide, Schlagfluß, Rückenmark, das hippokratische Gesicht* . . .). Konkret und ungeschönt wird auch das Häßliche benannt: Tod, Verwesung, Gestank, Schmutz; und besonders frappierend ist die Tabus ignorierende Direktheit im sexuellen Bereich. Gottfried Keller findet noch 1880, daß der „Danton" von „Unmöglichkeiten strotzt" (Brief an P. Heyse, 29. 3. 1880).

Uneinheitlichkeit Was den Satzbau betrifft, so ist unverkennbar, „daß **des syntaktischen** Büchner die knappen, kurzen Sätze bevorzugt; – in-**Stils** des ist seine Sprache im ganzen so uneinheitlich wie die Psychologie seiner Figuren, und eine für den ganzen Stil konstituierende Satzform läßt sich bei Büchner, im Gegensatz zu anderen Dichtern, nicht ausmachen"; – so konstatiert Helmut Krapp in einer interessanten Studie ,*Der Dialog bei Georg Büchner*' (München 1958; S. 72).

Funktionen Diese Vielfalt seiner stilistischen Möglichkeiten **stilistischer** setzt Büchner zu verschiedenen Zwecken ein. Einer-**Differenzierung:** seits bildet er unterschiedliche Sprachhaltungen **– Charakterisierung** verschiedener Personengruppen ab; es gibt die **von** ,Sprachen' der Politiker, der Dantonisten und des **Personengruppen** Volkes. Andererseits charakterisiert er durch die **– Charakterisierung** Nuancierung der Sprechweise natürlich auch die je-**von Situationen** weilige psychische Situation des Sprechers. Beides läßt sich nicht immer eindeutig trennen.

Die Sprache Die *Umgangssprache des einfachen Volks* spielt im **des Volks** „Danton" bei weitem nicht die Rolle wie wenig später im „Woyzeck", wo sie das ganze Stück prägt, ist aber in Ansätzen durchaus vorhanden. Am deutlichsten zeigt die Sprechweise von Simons Weib die

Charakteristika dieses Stils: stockendes, rein zeitlich reihendes Nacheinander; unbeholfene Wortwiederholungen; Partikeln, die Zusammenhänge nur andeuten, ohne sie logisch zu formulieren („da so"); z. B.:

> „*Seht ihr*, ich saß da so auf dem Stein in der Sonne und wärmte mich, *seht ihr*, denn wir haben kein Holz, *seht ihr* . . .".[I, 2]

Die Leute aus dem Volk – die Bürgersoldaten II, 6, die Fuhrleute IV, 4, die Weiber IV, 7 – lieben grobe Witze (die aber im Unterschied zu den sehr viel eleganteren Zweideutigkeiten der Dantonisten das ‚Quecksilber'-Thema, d. h. die Chiffre für innere Zerfressenheit, ganz aussparen). Die Wortspiele und Kalauer dieser Szenen stehen wohl unter dem Einfluß der Rüpelszenen Shakespeares.

Den *Jargon der Revolutionspolitiker* sprechen Robespierre und St. Just; Danton in seinen Reden vor Gericht; die Dantonisten, wenn sie ihr politisches Programm vortragen; und auch einzelne Bürger in den Volksszenen (I, 2; III, 10). Zum Stil der politischen Rede gehört die Reihung von allgemein gehaltenen Tatbeständen ohne persönlichen Tonfall; und vor allem natürlich die geschickte rhetorische Gestaltung, die auf eine große Masse wirken und sie begeistern will. Demgemäß verträgt dieser Stil keine syntaktische Unterordnung; sondern parataktisch nebeneinandergestellte Hauptsätze, die Schlag auf Schlag einander folgen, erzielen die Wirkung einhämmernder Dynamik:

Die Sprache der Revolutionspolitiker

Rhetorische Gestaltung

Einhämmernde Parataxe; Reihung

> „Unsere Augen waren offen, / wir sahen den Feind sich rüsten und sich erheben, / *aber* wir haben das Lärmzeichen nicht gegeben, / wir ließen das Volk sich selbst bewachen, / es hat nicht geschlafen, / es hat an die Waffen geschlagen." [Robespierre in der Jakobinerklub-Rede I, 3] (Zwischen den sechs Teilsätzen steht nur einmal eine verbindende Konjunktion!)

Oft sind solche rhetorischen Satzreihen dreigliedrig (Trikolon); die Teile der Reihe werden gern durch den Einsatz mit dem gleichen Wort zusammengehalten (Anapher). Ein Beispiel mit zwei anaphorischen

Trikolon; Anapher

Trikola hintereinander, wobei das erste Trikolon auch in der Mitte anaphorischen Wortgleichlaut hat und der dargestellte Kontrast durch das Mittel der Antithese stark betont wird:

> „*Ihr habt* Kollern im Leib *und sie haben* Magendrücken, *ihr habt* Löcher in den Jacken *und sie haben* warme Röcke, *ihr habt* Schwielen in den Fäusten *und sie haben* Samthände. *Ergo* [. . .], *ergo* [. . .]; *ergo* [. . .]". [Erster Bürger in der Volksszene I, 2]

Rhetorische Frage

Ein weiteres Stilmittel der politischen Rede ist die rhetorische Frage, wie sie etwa St. Just in seiner Rede II, 7 verwendet (verbunden wieder mit einem anaphorischen Trikolon):

> „Ich frage nun: *soll* die moralische Natur in ihren Revolutionen mehr Rücksicht nehmen als die physische? *Soll* eine Idee nicht ebenso gut wie ein Gesetz der Physik vernichten dürfen, was sich ihr widersetzt? *Soll* überhaupt ein Ereignis [. . .] nicht durch Blut gehen dürfen?"

Beschwörung der Revolutionsdaten

Zu den stilistischen Eigenarten der Revolutionspolitiker gehört schließlich das beschwörende Argumentieren mit altrömischen Beispielen, mit den Revolutionshelden und mit den markanten Daten der Revolution (so zitiert der Lyoner in I, 3 den „Dolch des Cato", „Chalier" und „10. August, September, 31. Mai"). Diese römisch-republikanische Redeweise ist für den heutigen Leser sehr auffällig; Büchner bildet aber nur in engem Anschluß an seine Quellen die tatsächliche Sprechweise der Revolutionäre nach.

Differenzierungen innerhalb des Einheitsstils

Bei aller Typik des Politiker-Jargons ist übrigens den Figuren durchaus ihre sprachliche Individualität belassen: Robespierre unterscheidet sich von Danton durch den moralisierenden Ton und das messianische Selbstbewußtsein; gegen beide deutlich abgesetzt ist St. Just durch die Strenge der Gedankenführung wie auch des Satzbaus.

Die Sprache der Dantonisten Distanziertheit, Unterkühlung, Ironie

Der *Umgangston der Dantonisten* ist der öffentliche Redeweise der Revolutionäre ziemlich genau entgegengesetzt: Distanziertheit statt Engagement; Unterkühlung des Ausdrucks, Ironie und Sarkasmus statt rhetorischem Pathos; Bonmot, Aperçu und Epigramm statt heiligem Ernst; in der Auseinandersetzung zwischen Robespierre und Danton (I, 6) stoßen diese gegensätzlichen Stilhaltungen besonders deutlich aufeinander. Der Ton der Dantonisten führt zu einem spontanen, vielfach abgerissen-assoziativen Sprechen (die Parataxe hat hier eine ganz andere Funktion und Wirkung als in der rhetorischen Rede!); die Gedanken stehen unverbunden nebeneinander, die logischen Beziehungen bleiben unausgesprochen; der Gedankengang ist nicht immer leicht nachzuvollziehen. Ein typisches Beispiel für solche ‚assoziative Parataxe' ist Dantons Monolog auf der Flucht:

Assoziative Parataxe

> „Ich kokettiere mit dem Tod, / es ist ganz angenehm so aus der Entfernung mit dem Lorgnon mit ihm zu liebäugeln. / Eigentlich muß ich über die ganze Geschichte lachen. / Es ist ein Gefühl des Bleibens in mir, was mir sagt, es wird morgen sein wie heute, / und übermorgen und weiter hinaus ist alles wie eben. / Das ist leerer Lärm, / man will mich schrecken, / sie werden's nicht wagen." [II, 4]

Charakteristisch für den Stil der Dantonisten sind die Bonmots und Anspielungen, darunter viele zweideutige Anspielungen, die stets einen gewissen Bildungsgrad voraussetzen (Lacroix tändelt in I, 5 mit Begriffen wie „moderner Adonis", „restaurierter Torso", „Sublimattaufe" und „tarpejischer Fels"); Robespierre würde dieser Sprache wohl das „Kainszeichen des Aristokratismus" zusprechen. Den frivolen und leichtfertigen Ton schlägt Hérault sofort in der Eingangsszene an; und mit epigrammatischen Bonmots, wie sie das Volk von den Revolutionshelden auch noch auf der Guillotine erwartet, endet der Weg der Dantonisten.

Bonmots; gebildete Anspielungen

Die Bonmots ebenso wie die assoziative Parataxe kennzeichnen die Dantonisten als Angehörige einer bestimmten (Bildungs-)Schicht. Viel stärker aber weisen diese Stilmerkmale auf die *Situation* der Dantonisten hin: auf den Verlust von Sicherheit und Lebensziel, auf die Bedrohung ebenso durch die Sinnlosigkeit wie durch die Guillotine; eine Bedrohung, die sie mit Bonmots zu bestehen versuchen (wie in dem Augenblick, da sie aufs Schafott stei-

Sprache als Ausdruck der Lebenssituation

Der Stil des Sinnverlusts

gen) oder ironisierend überspielen wollen (aber nicht immer sind sie sich ihrer selbst so sicher, wie ihre Sprachhaltung vorgibt). – Oft wird dabei der Stil geradezu selbst zur Aussage; wie z. B. in I, 1, als Danton auf Camilles Forderung: „Du wirst den Angriff im Konvent machen" antwortet:

> „Ich werde, du wirst, er wird. Wenn wir bis dahin noch leben, sagen die alten Weiber. Nach einer Stunde werden sechzig Minuten verflossen sein. Nicht wahr, mein Junge?"

Krapp kommentiert zu dieser Passage:

> „Womöglich mit Pathos hätte der Held der klassischen Dramatik seinen Kommentar von der Sinnlosigkeit dieser revolutionären Theorie in diesem Augenblick gegeben [. . .] Er hätte so zwar die Stellung, die er im Drama zur Revolution bezieht, rein ausgesprochen und die Motive seiner Reaktion genannt, diese selber aber unterschlagen. Kurz: seine Rede wäre abstrakt geblieben [. . .] Hingegen Büchner läßt den Danton seines Werkes seine Reaktionen nicht mehr schildern, sondern sie in Worten unmittelbar produzieren. Indem er selber inhaltslose Sätze bildet, weist er die Inhaltslosigkeit des schon Gesagten gültiger aus, als es die bloßen Urteils- oder Aussagesätze vermöchten." [S. 61]

Da die Dantonisten mit ihrer Sprachhaltung unmittelbar und persönlich auf die jeweilige Situation reagieren, ist ihr Stil, trotz seiner gleichbleibenden Grundtendenz, durchaus variabel. So kennen etwa Camille und auch Danton eine *Sprache des Gefühls*, vor allem in den Partien, wo sie an ihre Frauen denken. Lucile und Julie selbst sprechen fast durchgehend in diesem Ton: in einer lyrischen Sprache mit ‚poetischen' Metaphern und Vorstellungen, die auch dort noch ‚schön' erscheinen, wo sie Schmerzlichstes formulieren. Statt der sonst im Kreis Dantons üblichen sachlichen Kühle und rationalen Überlegenheit tritt hier die innere Beteiligung des Sprechers hervor:

Die Sprache des Gefühls (lyrische Sprechweise)

> Danton: „Wie schimmernde Tränen sind die Sterne durch die Nacht gesprengt, es muß ein großer Jammer in dem Aug sein, von dem sie abträufelten." [IV, 3]

Julie: „Die Sonne ist hinunter. Der Erde Züge waren so scharf in ihrem Licht, doch jetzt ist ihr Gesicht so still und ernst wie einer Sterbenden. Wie schön das Abendlicht ihr um Stirn und Wangen spielt!" [IV, 6]

Zur lyrischen Sprache Luciles gehören auch die Volkslieder, die ihr immer wieder, aus dem Unbewußten heraus und gewissermaßen von selbst, auf die Lippen kommen und die den Eindruck unendlicher Traurigkeit erwecken, – umso ergreifender, weil dieser Ton in der (sprachlichen) Umgebung der Rhetorik und des Zynismus so hoffnungslos verloren wirkt. (Lucile hat Lieder in II, 3, IV, 4 und IV, 9.)

Bei den Männern sind vor allem die Äußerungen Camilles oft von lyrischer Ergriffenheit geprägt, nicht nur, wen er sich um Lucile sorgt oder vor dem Tod zurückschaudert, sondern auch, wenn er von Schönheit und Kunst spricht. Danton und Marion haben sehr deutlich diesen lyrischen Ton in dem kurzen Dialog nach Marions Lebensbericht. Und auch Philippeau und Hérault sprechen die Sprache des Gefühls in ihren letzten Äußerungen vor der Abfahrt zum Schafott:

> Hérault: „Freue dich, Camille, wir bekommen eine schöne Nacht. Die Wolken hängen am stillen Abendhimmel wie ein ausglühender Olymp mit verbleichenden, versinkenden Göttergestalten" [IV, 5]

Einmal steigern sich die Danton-Freunde auch zu echtem *Pathos hohen Stils*, nämlich als sie in IV, 5 ihren Protest gegen die grausame, menschenverachtende Einrichtung der Welt hinausschreien. Dazu noch einmal die Interpretation von Krapp (S. 23):

**Pathos
des Protests**

> „Die hier sprechen, setzen der Wirklichkeit ihrer unfreien, verfallenen Existenz – wie sie jeweils in den Finalsätzen beschrieben wird –, die Idee entgegen, der Mensch sei nicht zwangsweise unfrei und verfallen – wie sie der interrogative Charakter ihrer Sätze entwirft. Anders gesagt: die rhetorische Frage steht hier zunächst nicht für Fragwürdigkeit, sondern für Protest, der noch der Sicherheit entstammt. Vom Widerstandsvermögen, das Schiller seinen Helden im Pathos zusprach, ist er noch als Residuum geblieben [...]

Nur: der Rückschlag folgt auf dem Fuß. Hervorge-trieben von der Steigerung rhetorischer Fragen durch mehrere Repliken hindurch steht Dantons Satz, dem Rhythmus Halt gebietend, wie eine Ant-wort auf diesen Versuch des Protests: „Die Welt ist das Chaos. Das Nichts ist der zu gebärende Welt-gott."

Es gibt auch stilistische Merkmale des „Danton"-Dramas, in denen sich, unabhängig von einzelnen Personen oder Personengruppen, direkt die Welt-sicht des ganzen Stücks niederschlägt. Dazu gehö-

Schroffe Umbrüche in Tonfall und Stimmung

ren die schroffen *Umbrüche in Tonfall und Stim-mung*: Der Stil des Sprechens wiederholt die harten Schnitte, die bei der Szenenfügung (bei der Zerle-gung der Szene in Teilszenen) zu beobachten sind; beides bildet die Diskontinuität einer Welt ab, in der kein einigender Sinn mehr zu finden ist. In I, 1 etwa entspricht dem Ineinander und Nacheinander der Szenenführung ein Wechsel zwischen der Sprache des Gefühls, leichtfertigem Getändel und Anflügen des Politiker-Jargons; in I, 5 steht zwischen der un-differenziert-unbeteiligten Gleichförmigkeit des Marion-Berichts und den Zynismen der Lacroix-Szene eine der lyrischsten und poetischsten Passa-gen des Dramas; usw.

Tendenz zum Monologisieren

Auffällig ist ferner die *Tendenz zum Monologisieren*, das – über das schon vermerkte Vordringen der wirklichen Monologe hinaus – auch Dialogpartien erfaßt. Die Protestschreie in IV, 5, obwohl von vier Sprechern vorgetragen, sind tatsächlich so etwas wie ein chorischer Monolog: das Pathos gelingt nicht mehr als Dialogform, sondern nur noch in mo-nologischer Isolierung. Genauso wird das politische Programm der Dantonisten in I, 1 nicht diskursiv entwickelt, sondern hat wieder die Form eines cho-rischen Monologs. Und die lyrischen Passagen sind Selbstaussage eines Ich, also monologisch, auch wenn sie formal ein Gegenüber anreden. (Wenn Danton zu Marion sagt: „Warum kann ich *deine* Schönheit nicht ganz in mich fassen", so formuliert er doch nur *seine* Trauer über die Unerreichbarkeit der Schönheit.) – Der Stil des Dramas entspricht mit diesem Zwang zum Monologisieren offenbar der dargestellten Isolation des Menschen.

Auf den Sinn des ganzen Stücks verweisen auch drei *Motiv- und Metaphernkomplexe*, die leitmotivisch immer wiederkehren.

Motiv- und
Metaphernkomplexe:
– Sexualität
und Syphilis

Das Motiv der Sexualität deutet auf den erstrebten epikureischen Lebensgenuß hin, das Motiv der Syphilis auf die Unerfüllbarkeit dieses Strebens und die ‚Heillosigkeit' der Welt.

Der Motivbereich des Todes, der Guillotine, des Mordens und der Lust am Morden (für die die Hinrichtung zum öffentlichen Freudenfest wird) beherrscht das ganze Stück. Bemerkenswert ist in diesem Zusammenhang die Brutalität und der manchmal ‚kannibalische' Einschlag der Ausdrucksweise, z. B.:

– Tod und
‚Menschen-
fresserei'

> Dritter Bürger: „Wir wollen ihnen die Haut von den Schenkeln ziehen und uns Hosen daraus machen, wir wollen ihnen das Fett auslassen und unsere Suppen mit schmelzen." [I, 2]
> Zweiter Fuhrmann: [Mein Karren] „ist ein anständiger Karren, der hat den König und alle vornehmen Herren aus Paris zur Tafel gefahren." [IV, 4]
> Danton: „Die Revolution ist wie Saturn, sie frißt ihre eignen Kinder" [I, 5]
> Camille: „Wie lange soll die Menschheit im ewigen Hunger ihre eignen Glieder fressen?" [II, 1]

Die auffallend zahlreichen Formulierungen dieser Art können Verschiedenes signalisieren: Im Mund des Volkes unterstreichen sie das Ausmaß von Hunger und Not; an anderer Stelle verweisen sie auf die zur Unterhaltung gewordene Alltäglichkeit des Mordens; Camille und Danton reflektieren die Sinnlosigkeit revolutionären Handelns bzw. allen politischen Handelns. Tatsächlich hängen ja in der Thematik des Stücks alle diese Aspekte miteinander zusammen; – und auch noch mit dem metaphysischen Aspekt der Verlorenheit des Menschen, den die Metapher andeutet, wenn Danton die „Schädeldecken aufbrechen" oder den Lebenssinn „aus den Eingeweiden herauswühlen" will (I, 1; II, 1).

Ein drittes Bild, in dem sich der Sinn des Geschehens – oder richtiger: seine Sinnlosigkeit – widerspiegelt, ist das Bild des Theaters, auf dem der Mensch nur eine Rolle spielt:

– Theater und
theatralische
Pose

Danton: „Wir stehen immer auf dem Theater, wenn wir auch zuletzt im Ernst erstochen werden." [II, 1]
Danton: „Puppen sind wir, von unbekannten Gewalten am Draht gezogen; nichts, nichts wir selbst!" [II, 5]

Neben diesen Zentralstellen gibt es eine Anzahl weiterer Anspielungen auf das Theater-Motiv (Simon ist Souffleur; vom Theater sprechen die Herren in II, 2 und Camille in II, 3; usw.); außerdem erscheinen sehr oft Formulierungen, die auf eine theatralische, d. h. zutiefst fragwürdige Pose hinweisen; etwa „sich in die Toga wickeln" (I, 5), „seine Toga drapieren" (IV, 5), „auf einen anständigen Fall studieren" (II, 1).

„Dantons Tod"
als Geschichtsdrama

Authentizität der Geschichtsdarstellung
in ‚Dantons Tod'

Angesichts der Wichtigkeit, die Büchner Umwelt, Zeitverhältnissen und Situation als Gegenkräften des Helden beimißt, ist es nicht verwunderlich, daß „Dantons Tod" sich durch außerordentliche Faktentreue und historische Genauigkeit auszeichnet. Man hat berechnet, daß mehr als ein Sechstel des Textes aus wörtlich übernommenen oder leicht abgeänderten Zitaten besteht, die Büchner in einer Art Montagetechnik in den Text eingefügt hat; – teilweise hat er geradezu *aus* einem Zitat seinen Text erst entwickelt.

Die Hauptquellen Büchners waren das seinerzeit sehr bekannte 10bändige Werk von *L. A. Thiers: ‚Histoire de la Révolution Française'* (Paris 1823–24) und eine populäre deutsche Zeitschrift, die auch in Büchners Elternhaus gehalten wurde: *‚Die Geschichte unserer Zeit'* (in den Jahren 1826–30 erschienen über 30 Bände); möglicherweise kommt als dritte Quelle noch die Revolutionsgeschichte von *Mignet* hinzu (Paris 1824).

Thiers, der wichtigste Gewährsmann Büchners, war Historiker, Journalist und Politiker. Maßgeblich beteiligt an der bürgerlich-liberalen Widerstandsbewegung, die 1830 zum Sturz der Bourbonen führte, war er später zeitweise Minister, dann Führer der liberalen Opposition gegen Napoleon III. Nach dessen Sturz wurde er 1871 Präsident der Dritten Republik. Er war verantwortlich für die blutige Niederwerfung des Aufstands der Pariser Commune 1871.

Die Faktentreue allein macht allerdings noch kein Geschichtsdrama. Der Begriff des Geschichtsdramas bezeichnet zwar keine fest definierte Form; doch ist es sinnvoll, ihn nicht für farbige Historiengemälde zu verwenden (die es im 19. Jahrhundert in großer

Historische Genauigkeit des „Danton"

Ein Sechstel des Textes besteht aus Quellenzitaten

Die Quellen Büchners

Zur Biographie von Thiers

Forderung an ein Geschichtsdrama:

Zahl gab), sondern vom Geschichtsdramatiker eine bewußte Haltung gegenüber der Geschichte und dem geschichtlichen Stoff zu erwarten: das Bemühen, im Sinne Hegels den inneren Kern und den substantiellen Gehalt der Geschichte einer bestimmten Epoche herauszuarbeiten.

Historische Stoffe und große historische Persönlichkeiten waren von der Antike bis mindestens zum Barock der wichtigste Gegenstand der Tragödie (erst Aufklärung und Sturm und Drang brachten mit dem ‚Bürgerlichen Trauerspiel‘ eine Wende). Doch kennt beispielsweise das Barock keine unverwechselbaren geschichtlichen Wirklichkeiten, sondern hält sich an absolute – mithin ungeschichtliche – Werte; insofern sind die Tragödien etwa des Andreas Gryphius keine Geschichtsdramen im eigentlichen Sinn.

Ein deutsches Geschichtsdrama, das das Wesen geschichtlichen Geschehens zu erfassen und zu deuten versucht, gibt es erst seit der Klassik, zumal seit Schillers bedeutenden historischen Dramen („Don Carlos", „Wallenstein"-Trilogie, „Maria Stuart").

Büchners Begriff des „Fatalismus der Geschichte"

Bei der Frage, wie „Dantons Tod" sich in das Genre des Geschichtsdramas einfügt und welcher Art Büchners Geschichtsdeutung ist, stößt man auf den Begriff des „Fatalismus der Geschichte", den Büchner in einem Brief an seine Braut verwendet (am 10. März 1834, also ein Dreivierteljahr vor dem „Danton", als er vielleicht schon mit Vorstudien zu dem Drama beschäftigt war):

„[...] Schon seit einigen Tagen nehme ich jeden Augenblick die Feder in die Hand, aber es war mir unmöglich, nur ein Wort zu schreiben. Ich studierte die Geschichte der Revolution. Ich fühlte mich wie zernichtet unter dem gräßlichen *Fatalismus der Geschichte.* Ich finde in der Menschennatur eine ent-

setzliche Gleichheit, in den menschlichen Verhältnissen eine unabwendbare Gewalt, allen und keinem verliehen. Der einzelne nur Schaum auf der
Welle, die Größe ein bloßer Zufall, die Herrschaft
des Genies ein Puppenspiel, ein lächerliches Ringen
gegen ein ehernes Gesetz, es zu erkennen das Höchste, es zu beherrschen unmöglich. Es fällt mir nicht
mehr ein, vor den Paradegäulen und Eckstehern der
Geschichte mich zu bücken. Ich gewöhnte mein
Auge ans Blut. Aber ich bin kein Guillotinenmesser.
Das *muß* ist eins von den Verdammungsworten, womit der Mensch getauft worden. Der Ausspruch: es
muß ja Ärgernis kommen, aber wehe dem, durch
den es kommt, – ist schauderhaft. Was ist das, was
in uns lügt, mordet, stiehlt? Ich mag dem Gedanken
nicht weiter nachgehen. Könnte ich aber dies kalte
und gemarterte Herz an deine Brust legen! [...]"

„Fatalismus" definiert der Schüler-Duden ‚Die
Philosophie' als

**Begriffsdefinition
von ‚Fatalismus',
‚Determinismus'**

> eine „Weltanschauung oder Lebenseinstellung,
> nach der alles Geschehen in der Welt von einer ‚blin-
> den' Notwendigkeit (‚Schicksal') bestimmt ist. Die-
> ser Notwendigkeit unterliegt demnach auch jedes
> menschliche Tun, womit die Auffassung aufgegeben
> wird, daß das Handeln des Menschen durch Nor-
> men anleitbar sei und seine Ursache im freien Ent-
> scheid und Antrieb des Individuums habe; stattdes-
> sen wird Handeln als vorbestimmt und (analog zu
> physischen Notwendigkeiten) als quasi naturge-
> setzlich verursacht zu charakterisieren versucht";

der Begriff deckt sich also in etwa mit dem Begriff
des *Determinismus*, der ebenfalls die Freiheit und
Verantwortung ausschließende Kausalität des
menschlichen Willens bezeichnet.
„Fatalismus" war allerdings zu Büchners Zeit auch
so etwas wie ein Terminus technicus für die Geschichtsauffassung gerade seiner Gewährsleute:

**‚Fatalismus-Schule'
als Schlagwort für
die Geschichts-
schreibung von
Thiers und Mignet**

> „Da Thiers und Mignet zur Warnung an die gegen-
> wärtig herrschende Bourbonenpartei den Sturz des
> Ancien régime und Louis XVI. als eine gesetzmä-
> ßige Entwicklung schilderten und noch das jakobi-
> nische ‚Überborden' als notwendige, wenngleich
> traurige Konsequenz girondistisch liberalen Zau-
> derns analysierten, wurden sie von der [...] Reak-

tion als Begründer einer ‚école fataliste' in der Historiographie angegriffen. Nachdem sich jedoch Thiers' und Mignets Strategie unter ihrer persönlichen Mitwirkung 1830 mit dem gewünschten Ergebnis durchgesetzt hatte, mußte die schon im voraus beschriebene ‚Gesetzmäßigkeit', nach der die Bourgeosie 1830 wie 1794 die Früchte der Volksrevolution ernten würde, auch der Linken als eine Art ‚fatalité' erscheinen."

[Thomas Michael Mayer in ‚text + kritik', S. 372]

Der Ton sowohl des Briefs als auch der in der Aussage ganz parallelen ‚Septembermord-Szene' des „Danton" (II, 5) verbieten es, Büchners Begriff „Fatalismus" nur als politisches Schlagwort (als Ausdruck politischer Verärgerung) zu verstehen; doch mag diese Bedeutung mitschwingen. Was Büchner

Der Fatalismus-Begriff Büchners

als „Fatalismus der Geschichte" erlebt, wäre dann die Abhängigkeit von Gesetzmäßigkeiten, die dem Geschichtsprozeß immanent sind, oder auch die Abhängigkeit von der „unabwendbaren" Macht gesellschaftlicher Verhältnisse.

Abdankung der großen Einzelpersönlichkeit

Eindeutig ist jedenfalls die Erkenntnis, daß die Geschichte nicht von großen Einzelpersönlichkeiten gestaltet wird, von den „Paradegäulen und Eckstehern" wie Alexander, Caesar oder Napoleon. Man sollte erwarten, daß für den politisch links stehenden Büchner die Abdankung der großen Männer eine Befreiung bedeuten müßte; aber das Gegenteil ist der Fall: er spricht von einer *„entsetzlichen*

Erschütterung durch den „gräßlichen Fatalismus"

Gleichheit" und einem *„gräßlichen* Fatalismus"; und er fühlt sich dadurch, ähnlich wie Danton, gelähmt, – so sehr, daß er nicht einmal einen Brief an die Braut zu schreiben vermag. Die Gründe dieser lähmenden Erschütterung sind dieselben wie im

– wegen des Verlustes der menschlichen Freiheit
– wegen des unvermeidlichen Schuldigwerdens

Drama: Einerseits der Verlust der menschlichen Freiheit, die Degradierung zu einer Marionette, die von unbekannten Gewalten am Draht gezogen wird; andererseits die Bedrohung durch unausweichliches Schuldigwerden: denn im Gegensatz zum Guillotinenmesser, das den Fallgesetzen ohne Gewissensbisse folgen kann, ist der Mensch dem Muß zwar unterworfen, weiß aber dabei doch, daß durch sein unvermeidbares Tun „Ärgernis" kommt.

‚Dantons Tod' als Gegenentwurf zum historischen Ideen-Drama der Klassik

Büchner tritt mit dieser Auffassung von geschichtlichem Handeln in Gegensatz zum Geschichtsdrama Schillers (wie er ja auch in seiner Kunstauffassung ganz bewußt gerade gegen Schiller Front macht). Es liegt nahe, den „Danton" mit Schillers „Wallenstein" zu vergleichen: Auch der „Wallenstein" zeigt ein Panorama einer markanten historischen Epoche; beide Stücke stehen unter dem Eindruck der Französischen Revolution („Wallenstein" wurde 1798–1800 veröffentlicht); und Büchner sucht ja vermutlich bei der Wahl des Titels „Dantons Tod" die Parallele zu „Wallensteins Tod", dem Hauptteil der „Wallenstein"-Trilogie. Zwei grundsätzliche Unterschiede hinsichtlich des Geschichtsverständnisses werden bei einem solchen Vergleich sehr deutlich.

Büchners „Danton" und Schillers „Wallenstein"

In striktem Gegensatz zu „Dantons Tod" ist Schillers „Wallenstein" ein ethisches Entscheidungsdrama, das von der Idee menschlicher Entscheidungsfreiheit getragen wird. Zwar gerät der historisch bzw. politisch Handelnde in Konflikt zwischen „Pflicht" und „Neigung", zwischen individuellen Trieben und verpflichtenden Normen; aber er *„muß"* nicht schuldig werden, er ist keine „Puppe", sondern er behält die Freiheit der Entscheidung – wenn auch freilich um den Preis tragischen Untergangs.

Die Idee der Entscheidungsfreiheit im „Wallenstein":

Max Piccolomini hält an den sittlichen Normen fest, an der Treuepflicht gegenüber seinem Kaiser; er trennt sich von Wallenstein, als er erkennt, daß dieser zum Verräter wird und das Eigeninteresse über das Ideal einer neuen, schönen Zeit des Friedens setzt. Diese Entscheidung kostet Max auf jeden Fall sein Glück, Thekla, und, da er keinen anderen Ausweg findet, als den Tod im Kampf zu suchen, auch das Leben; – aber er bewahrt sich die Freiheit der Entscheidung. Auf die Möglichkeit, die idealistische Entscheidungsfreiheit durch Akzeptieren des Untergangs zu retten, hat er früher in der großen Ausein-

– Max Piccolominis Entscheidung

andersetzung „Wallenstein Tod" II, 3 auch Wallensteins hingewiesen:

„Und wär's zu spät – und wär' es auch soweit,
Daß ein Verbrechen nur vom Fall dich rettet,
So falle! Falle würdig, wie du standst." [V. 821 ff.]

– Wallensteins Entscheidung

Wenn man allerdings, wie Wallenstein, praktische politische Zwecke verfolgt, sich ganz bewußt für ein Handeln in der (realen) Geschichte entscheidet, ohne Rücksicht auf sittliche Normen, so macht man sich von den Mächten des Schicksals abhängig (Wallenstein wird sich dessen am Schluß seiner Entscheidungsszene „Wallensteins Tod" I, 7 sehr klar bewußt); und man muß dann auch damit rechnen, daß man von diesen Mächten getäuscht und überrumpelt wird, wie es Wallenstein widerfährt. Aber diese Erfahrung, daß ein auf sehr reale Zwecke ausgerichtetes Handeln unberechenbare reale Konsequenzen haben kann, ist doch in keiner Weise mit Dantons Bewußtsein einer marionettenhaften Abhängigkeit zu vergleichen; und Wallenstein hätte ja außerdem immer die Freiheit, auf seine praktischen (eigennützigen) Zwecke zu verzichten.

Personale Geschichtsauffassung im „Wallenstein"

Im Gegensatz zu Büchner hat Schiller, zweitens, eine ausgesprochen dramatische, d. h. von der historischen Persönlichkeit beherrschte Konzeption der Geschichte. Sein Wallenstein ist der Schöpfer einer ganzen ‚Welt' und einer ganzen Epoche. Auch wenn Schiller es für nötig hält, die Trilogie mit „Wallensteins Lager" zu eröffnen, also mit einer Milieuschilderung, weil nur Wallensteins Lager sein Verbrechen erkläre (Prolog V. 118), so ist doch tatsächlich Wallenstein schon im „Lager" der alleinige Schöpfer und unumschränkte Führer dieses Heeres, der große einzelne, der alles belebt und erhält. Die Einzigartigkeit Wallensteins wird von den unterschiedlichsten Personen immer wieder hervorgehoben; vor allem aber Max Piccolomini sieht in Wallenstein die geniale Schöpferkraft; so etwa im Wortgefecht mit dem Kriegsrat Questenberg:

Wallenstein als geniale Einzelpersönlichkeit

„Geworden ist ihm eine Herrscherseele,
Und ist gestellt auf einen Herrscherplatz.
Wohl uns, daß es so ist! [. . .]

Und eine Lust ist's, wie er alles weckt
Und stärkt und neu belebt um sich herum,
Wie jede Kraft sich ausspricht, jede Gabe
Gleich deutlicher sich wird in seiner Nähe![...]
[„Die Piccolomini" I, 4, V. 412 ff.]

Und seinen Vater weist Max auf die ‚weltbewegen-
den‘ Folgen eines Sturzes Wallensteins hin:

„Denn dieser Königliche, wenn er fällt,
Wird eine Welt im Sturze mit sich reißen [...]"
[„Die Piccolomini" V, 3, V. 2639 f.]

Eine derartige geniale, geschichts-gestaltende Einzigartigkeit gibt es in Büchners Welt nicht mehr.
Danton kann keine solche Gestaltungskraft mehr
haben, weil er von Skepsis und ‚Fatalismus‘-Glau-
ben gelähmt ist; sein früherer revolutionärer Elan
hat sich ihm ja gerade als Schein entlarvt, als das
Zappeln einer von unbekannten Gewalten abhängi-
gen Marionette. Und Robespierre (abgesehen davon,
daß schon seine ideologische Erstarrung jede gestal-
tende Schöpferkraft ausschließt) versteht es zwar,
taktisch geschickt die Stimmungen der Masse eine
Zeitlang für seine Zwecke einzusetzen; tatsächlich
aber gestaltet er nicht den Lauf der Geschichte, sondern wird von den Verhältnissen getrieben, bleibt
abhängig von den schwankenden Launen des Volks.
– Deshalb könnte man auch weder von Danton noch
von Robespierre sagen, daß sie „eine Welt im Sturze
mit sich reißen"; sondern umgekehrt: das Zusam-
menbrechen einer Phase der Revolution reißt Danton mit sich; und es ist innerhalb des Stücks voraus-
weisend angedeutet (besonders in der Wohlfahrtsausschuß-Szene III, 6), daß man Robespierres bevor-
stehenden Sturz genauso zu verstehen hat.

Vergleich mit den Figuren Büchners

In unserer Zeit hat der Schweizer Dramatiker
Friedrich Dürrenmatt den Unterschied zwischen
den Möglichkeiten Schillers und den Zwängen der
modernen Welt so dargestellt:

Dürrenmatt über die Unterschiede zwischen Schillers Zeit und der Gegenwart

„Schiller schrieb so, wie er schrieb, weil die Welt, in
der er lebte, sich noch in der Welt, die er schrieb, die
er sich als Historiker erschuf, spiegeln konnte. Gerade noch. War doch Napoleon vielleicht der letzte
Held im alten Sinne. Die heutige Welt, wie sie uns

erscheint, läßt sich dagegen schwerlich in der Form des geschichtlichen Dramas Schillers bewältigen, allein aus dem Grunde, weil wir keine tragischen Helden, sondern nur Tragödien vorfinden, die von Weltmetzgern inszeniert und von Hackmaschinen ausgeführt werden. Aus Hitler und Stalin lassen sich keine Wallensteine mehr machen. Ihre Macht ist so riesenhaft, daß sie selber nur noch zufällige, äußere Ausdrucksformen dieser Macht sind [...] Die Macht Wallensteins ist eine noch sichtbare Macht, die heutige Macht ist nur zum kleinsten Teil sichtbar, wie bei einem Eisberg ist der größte Teil im Geschichtslosen, Abstrakten versunken."

[,Theater-Schriften und Reden'. S. 119]

Die Modernität Büchners

Folgt man dieser Abgrenzung Dürrenmatts, so gehört „Dantons Tod" eindeutig auf *unsere* Seite der Demarkationslinie, ist ein ‚modernes' Drama nicht nur hinsichtlich seiner Struktur (der offenen Dramenform), sondern auch in seiner Geschichtsauffassung. Der Schwierigkeit, der sich nach Dürrenmatt der moderne Dramatiker gegenübersieht: daß ihm nämlich die Anonymität und Gesichtslosigkeit der modernen Welt keinen Ansatzpunkt zu dramatischer Gestaltung bietet, – dieser Schwierigkeit begegnet Büchner ein Jahr nach dem „Danton" in seinem „Woyzeck" in der Weise, daß er gerade einen ‚Gesichtslosen' in seiner hoffnungslosen Abhängigkeit von gesellschaftlichen Kräften zur Hauptfigur wählt; plakativ formuliert: daß er das *historische* Drama aufgibt und mit dem „Woyzeck" das deutsche *soziale* Drama einleitet.

**„Woyzeck":
Der Übergang vom historischen zum sozialen Drama**

Interpretationsansätze

„Dantons Tod" gehört zu den sehr umstrittenen Texten der deutschen Literatur, und die kontroversen Interpretationen sind hier um so leidenschaftlicher aufeinandergeprallt, als sie vielfach mit starkem politischem Engagement der Interpreten verbunden waren. Die Grundzüge zweier typischer Interpretationsansätze lassen sich an einem berühmten Streit aus den 30er Jahren verdeutlichen, an der Kontroverse zwischen der ‚nihilistischen' oder ‚existentiellen' Interpretation von Karl Viëtor und der ‚politischen', d. h. sozialistischen, von Georg Lukács.

Die ‚existentielle'
Interpretation:
Viëtor

Karl Viëtor veröffentlichte 1934 unter dem Titel *‚Die Tragödie des heldischen Pessimismus'* einen Aufsatz, in dem er „Dantons Tod" als einen gänzlich unpolitischen Text interpretierte, in dessen Mittelpunkt allein Dantons Existenzproblematik stehe. Die Revolution und die gesamte politische Thematik sei nur ‚Staffage' und deshalb für die Interpretation unerheblich.

– „Danton" ein
individua-
listisches
Drama

„Um das eine, um Dantons Tod handelt es sich in diesem durchaus individualistischen Drama, und um die Revolution nur, insofern sie die Wirklichkeit ist, zu der Dantons Tod gehört." [S. 98. f.]
„Wo ist in diesem Drama ein politisches Programm? Es gibt keines. Es gibt nur Geschichte und eine religiöse Wahrheit aus der Geschichte. „Dantons Tod" ist die Tragödie des großen Politikers, der in dem Augenblick vernichtet wird, wo er aus dem Rausch der radikalen Aktion zurückfindet zu staatsmännischer Besonnenheit und erneuernder Kraft. Dem äußeren Bild nach wird er durch den Gang der Dinge vernichtet. Aber in Wahrheit kann das nur geschehen, weil er von innen her gelähmt ist und nicht mehr kämpft. Im Augenblick, wo Danton alle Kraft brauchen würde, um die Revolution zu beenden, die Reorganisation zu beginnen – in dieser entscheidenden Stunde versagt sich sein Wille den Befehlen seines politischen Denkens. Denn sein Wille ist gelähmt durch das neue pessimistische Wissen von der allgemeinen Beschaffenheit des Lebens. Wem es

– Lähmung
Dantons durch
die pessimisti-
sche Weltsicht

geschehen ist, daß die unlösbare Gebrechlichkeit des Seins, die unaufhebbare Natur und Schicksalsgebundenheit des Menschen sich ihm unter den Erfahrungen des revolutionären Handelns offenbart hat, dem muß mit dem politischen Glauben der Wille vergehen." [S. 133]

Die Themen von „Dantons Tod" sind nach Viëtor der Nihilismus „als Gegenidee zu der des Lebens" und der Fatalismus der Determiniertheit; Büchner breche mit dem geistesgeschichtlich unhaltbar gewordenen deutschen Idealismus und stelle sich entschlossen in das Nichts.

– Büchners entschlossener Nihilismus

„Der einzige Büchner hatte die ungebrochene Kraft, den Zusammenbruch der alten Kultur anzuerkennen, allem Idealismus von gestern schärfste Skepsis entgegenzusetzen und sich entschlossen in das Nichts zu stellen, das der einzige wirkliche Gehalt dieser Epoche zwischen den Zeiten war. Er erkennt und sagt es, daß in der geschichtlichen Stunde, da seine Generation ins Leben eintrat, gar kein Sinn, keine zulängliche Deutung des Lebens mehr da war; oder noch nicht wieder da war." [S. 111]

Die Gestalt Dantons ist bei diesem Interpretationsansatz positiv zu werten: Robespierres überholter Idealismus ist ebenso naiv wie gefährlich; Danton dagegen ist zwar durch sein pessimistisches Wissen um den Fatalismus gelähmt und geht daran zugrunde; aber er nimmt sein Schicksal bewußt und entschlossen auf sich (deshalb ‚Tragödie des *heldischen* Pessimismus') und bleibt nicht blind und verblendet wie Robespierre.

Die ‚politische' (sozialistische) Interpretation: Lukács

Gegen die ganze Tendenz dieser Interpretation erhob 1937 *Georg Lukács* in einem Aufsatz aus dem Moskauer Exil leidenschaftlichen Protest: ‚*Der faschistisch verfälschte und der wirkliche Georg Büchner'*. (Der Ungar Lukács war ein führender sozialistischer Philosoph und Literaturwissenschaftler, wichtig später u. a. für die Entwicklung der Theorie des ‚Sozialistischen Realismus', bis er wegen maßgeblicher Beteiligung am Ungarischen Aufstand von 1956 in Ungnade fiel.) Lukács setzt beim Biographischen an; und er weigert sich, bei Büchner einen Bruch zwischen einem Politiker und einem reinen Dichter anzuerkennen: Für ihn ist Büchner durchgehend ein konsequenter Revolutionär, und zwar ein sozial denkender, für den die ökonomische Befreiung der Massen von der Ausbeutung das Ziel der Revolution ist. Dementsprechend ist „Dantons Tod" zu lesen: als politische Aussage im Sinne einer sozialen Revolution. Deshalb ist nach Lukács (vereinfachend gesagt) Robespierre eher positiv zu werten, Danton eher negativ. Das Streitgespräch zwischen Danton und Robespierre in I, 6 kommentiert Lukács so:

– Büchner ein konsequenter Revolutionär

> „Es ist die übliche Auffassung dieser entscheidenden Szene des Dramas, daß Danton das Moralisieren des engen und beschränkten Robespierre mit großer Verachtung, mit objektiver, geistiger Überlegenheit widerlegt. Es ist richtig, daß Danton Robespierre mit Verachtung behandelt. Es ist auch richtig, daß Büchner philosophisch-weltanschaulich die Ansicht Dantons, den epikureischen Materialismus, teilt und darum [...] eine dramatisch-lyrische Sympathie für seine Figur hat. Der wirkliche gedankliche und dramatische Ablauf des Gesprächs ist aber doch ein völlig anderer, und gerade darin drückt sich die große dramatisch-tragische Begabung Büchners aus. Danton widerlegt nämlich mit keinem Wort die *politische* Anschauung Robespierres. Er weicht im Gegenteil einer politischen Auseinandersetzung aus, er hat kein einziges Argument gegen den politischen Vorwurf, gegen die politische Konzeption Robespierres, die [...] im wesentlichen die Konzeption des Dichters selbst ist. Danton leitet das Gespräch auf eine Diskussion über die Prinzipien der Moral hinüber und erficht hier als Materialist einen leichten Sieg über die Rousseauschen Moralprinzipien Robespierres. Aber dieser billige Sieg in der Diskussion enthält keine Antwort auf die Zentralfrage der politischen Lage, auf die Frage des Gegensatzes von arm und reich. Büchner zeigt sich hier als geborener Dramatiker, indem er den großen gesellschaftlichen Widerspruch, der auch als unlösbarer Widerspruch in seinen eigenen Gefühlen und Gedanken lebt, in zwei historischen Gestalten – jede mit ihrer notwendigen Größe und mit ihrer notwendigen Borniertheit – verkörpert.

– Lukács' Interpretation von I, 6:

Überlegenheit der politischen Konzeption Robespierres

Dieses Ausweichen Dantons ist kein Zufall, sondern gerade der Kernpunkt seiner Tragödie. Danton ist bei Büchner ein großer bürgerlicher Revolutionär, der aber in keiner Hinsicht über die bürgerlichen Ziele der Revolution hinauszugehen vermag." [S. 208 f.]

Gemäß seiner Klassengebundenheit hat Danton die Befreiung vom Feudalismus angestrebt, will jedoch bei der Befreiung vom Kapitalismus nicht mehr mitwirken; daher rührt seine Richtungslosigkeit in dem fortgeschrittenen Stadium der Revolution, das das Drama vorführt; und auf dieser politischen Richtungslosigkeit beruht seine Lähmung, nicht etwa auf einem Blick in Nichts. – Allerdings ist auch für Lukács die *Philosophie* Robespierres, der Rousseausche Idealismus, dem epikureischen Materialismus Dantons unterlegen; doch zum Begreifen der Geschichte ist Dantons alter Materialismus ebenfalls nicht in der Lage. Am fortgeschrittensten hinsichtlich der Einsicht in die historische Gesetzmäßigkeit ist für Lukács Saint-Just in seiner Konventsrede, in der er die eherne und unmenschliche Notwendigkeit der Geschichte mit leidenschaftlichem Pathos bejaht und verherrlicht.

Lähmung Dantons durch politische Orientierungslosigkeit

(Als „faschistisch verfälschend" bezeichnet Lukács die Interpretation Viëtors deshalb, weil sie anstelle einer politisch-wissenschaftlichen – also marxistischen – Analyse einen dumpfen Irrationalismus als überzeitliche Wahrheit verkünde, eine Verzweiflung, aus der die Menschheit nur durch begnadete ‚Führer' gerettet werden könne.)

Die beiden an extremen Positionen skizzierten Interpretationsansätze sind seitdem immer wieder erneuert worden, mit zum Teil freilich bedeutsamen und weiterführenden Modifikationen. Beide Interpretationsrichtungen erscheinen jedoch zu einseitig, schon in der Auswahl ihrer Beweismittel. Für die ‚existentielle' Interpretation existiert vorwiegend die zweite Dramenhälfte, für die ‚politische' ausschließlich die erste. Die ‚politische' Interpretation bezieht sich außerdem auf die Biographie Büchners, auf die politischen Verhältnisse seiner Zeit (im schlechtesten Fall sogar: auf die historischen Umstände der Französischen Revolution) viel eingehender als auf das Stück selbst; die ‚existentielle' Interpretation dagegen versucht, die Biographie

Einseitigkeit beider Interpretationsansätze

Büchners aus den Überlegungen weitgehend herauszuhalten.

Man darf jedoch sicher nicht einfach ignorieren, daß Büchner ein radikaler Revolutionär war, der bei seinem politischen Engagement nicht das Fehlen bürgerlicher Freiheiten, sondern die Not der Ausgebeuteten im Auge hatte. Daß dies sozial-revolutionäre Interesse durch einen Bruch in Büchners Biographie plötzlich beendet worden wäre (wie Viëtor meinte), ist nicht glaubhaft zu machen. – Darüber hinaus ist das Ausklammern jeder politischen Dimension aber auch deshalb nicht akzeptabel, weil dafür der Stoff zu brennend aktuell war. Man stelle sich vor: ein politisch engagierter Autor heute ließe sein Stück im nationalsozialistischen Deutschland, etwa im Juli 1944, unter führenden Leuten aus Generalität, Wirtschaft, Politik spielen; – wäre es dann denkbar, daß dies Stück rein private oder philosophische Probleme behandelte und daß die zeitliche Situierung völlig unerheblich wäre, der Putschversuch gegen Hitler nur ‚Staffage'? Die Französische Revolution lag Büchner zeitlich sogar etwas näher, und sie war, gerade im Zusammenhang mit der Pariser Julirevolution von 1830, ein äußerst aktuelles Thema.

Einwände gegen eine unpolitische Interpretation

Andererseits hat im Mittelpunkt der Interpretation von „Dantons Tod" natürlich das Stück selbst zu stehen, und zwar das *ganze* Stück: Ein typisches Kennzeichen für eine einseitig ‚politische' Interpretation ist es, wenn Julie und Lucile einfach ignoriert werden; besonders Luciles Schlußszenen sind ja für eine solche Einseitigkeit hinderlich. Eine Theaterkritikerin der DDR hat deshalb 1959 zu bedenken gegeben, ob man nicht, damit das Schicksal Camilles und Luciles nicht „unverhältnismäßig viel Gewicht" erhalte, das Stück mit einem anderen Schluß enden lassen solle: am besten mit der Konventsrede des Saint-Just (Renate Zuchardt; zitiert bei Behrmann/Wohlleben S. 166 f.). Darin steckt die häufige Unterstellung, daß Büchner, dessen Absicht man besser kennt als er selbst, sein Ziel nicht ganz erreicht hat.

Einwände gegen eine *nur* politische Interpretation

In neuerer Zeit setzen sich Interpretationen durch, die „Dantons Tod" nicht in dieser oder jener Weise zu einem Tendenz- oder Lehrstück zurechtschneiden, sondern das Stück in seiner Vollständigkeit und auch Widersprüchlichkeit bestehen lassen, indem sie es als realistisches Bild der Wirklichkeit verstehen. Hierhin gehört vor allem die gründliche ‚Dramenanalyse' von *Alfred Behrmann* und *Joachim Wohlleben*, 1980. Diese Autoren nehmen Büchners eigene kunsttheoretische Äußerungen ernst, wonach Kunst „Leben, Möglichkeit des Daseins" zu geben habe. Eine solche Forderung nach einer nicht-idealisierenden Kunst bedeute, neben der Zulassung des Häßlichen, daß Unstimmigkeiten in keiner Weise verdeckt würden. „Die Widersprüchlichkeit als Eigenschaft von ‚Leben', die in der Kunst zu behandeln sei", äußere sich im „Danton" etwa „als Gegensatz in menschlichen Beziehungen, wozu auch der Selbstwiderspruch des einzelnen gehört" (S. 173).

Eine ‚realistisch'-ganzheitliche Interpretation des Stücks besagt übrigens nicht, daß man ihm jede politische Relevanz aberkennt. So spricht der DDR-Germanist *Henri Poschmann* in seiner *Büchner*-Monographie von 1983 dem Drama, das für ihn durchaus kein Tendenzstück im alten Sinn ist, eine „kognitive Funktion" zu: „Das Drama bot sich als Spielmodell dafür an, geschichtliche Praxis probehalber nachzubilden und im Licht der [Büchner] interessierenden Fragen zu erhellen" (S. 94 und S. 91); – Büchner durchdenkt also an einem realistischen Modell gestaltend die Probleme, die ihn akut bedrängen: ‚Möglichkeiten des *politischen* Lebens' sozusagen.

Der historische Hintergrund des „Danton"-Dramas*)

Die Französische Revolution in den Jahren 1789–1794

Die absolutistische Herrschaft Ludwigs XIV. und Ludwigs XV. und das Fortbestehen überholter gesellschaftlicher Verhältnisse haben die Staatsfinanzen Frankreichs völlig zerrüttet. Ludwig XVI. (König seit 1774) versucht Reformen; für eine grundsätzliche Neuordnung des Steuersystems braucht er die Zustimmung der Generalstände, die er deshalb für 1789 nach Versailles einberuft. **Vor 1789**

Geistige Voraussetzung der Revolution ist die Verbreitung der Ideen der Aufklärung beim Bürgertum, aber auch beim liberaleren Teil der Aristokratie. Wichtig ist Montesquieus Gedanke der Gewaltenteilung, noch wichtiger Rousseaus Idee der Volkssouveränität und der Begründung des Staats durch einen ‚Gesellschaftsvertrag'. *Die Tugend- und Erziehungstheorie Rousseaus hat großen Einfluß auf das Denken Robespierres.*

Die Generalstände proklamieren sich alsbald zur Nationalversammlung; d. h. anstatt daß die Vertreter der drei Stände – Adel, Geistlichkeit, Dritter Stand – getrennt beraten, erklären sich zunächst die Abgeordneten des Dritten Standes, die Vertreter des Bürgertums, zur einheitlichen Vertretung der ganzen Nation, die die gemeinsamen Probleme gemeinsam berät. Die Nationalversammlung beginnt eine Verfassung auszuarbeiten. **1789**

14. Juli 1789 Sturm auf die Bastille: Als der König die Arbeit der Nationalversammlung in Versailles behindert, stürmen und zerstören die Volksmassen in Paris die Bastille, das alte Staatsgefängnis, Symbol der absolutistischen Gewalt. *(Die Initiative zum Bastille-Sturm geht von Camille Desmoulins aus.)* Das Ereignis markiert den Ausbruch der Revolution: überall im Land kommt es zu Bauernaufständen; in den Städten bildet das revolutionäre Bürgertum Komitees und Nationalgarden; viele Adlige emigrieren ins Ausland.

*) Kursiv gesetzt sind Fakten, auf die im Stück direkt Bezug genommen wird.

Arbeit der Nationalversammlung: Erklärung der Menschen- und Bürgerrechte; Aufhebung des Feudalsystems; Aufhebung der Orden und Klöster; Verstaatlichung der Kirchengüter; u. a.

‚Weiberzug nach Versailles': Der König wird vom Pariser Volk gezwungen, von Versailles nach Paris zu ziehen; die Nationalversammlung folgt dorthin. Das ist nach dem Bastille-Sturm das zweite Mal, daß die revolutionären Massen von Paris den Lauf der Ereignisse bestimmen. Von nun an ist das Parlament in Paris direkt dem Einfluß des Volkes ausgesetzt.

1790   Tiefgreifende Umgestaltung Frankreichs durch Beschlüsse der Nationalversammlung. Lebhafte Diskussion und Agitation in den Clubs und in der aufblühenden politischen Presse. Jedoch keine markanten Einzelereignisse.

1791   Ein Fluchtversuch des Königs und seiner Familie wird vereitelt. Der König wird suspendiert; aber trotz einer u. a. *von Danton organisierten Massenversammlung auf dem Marsfeld*, bei der es um eine Petition zur Abschaffung der Monarchie geht *(Juli 1791)*, wird der König von den in der Nationalversammlung noch vorherrschenden königstreuen Gemäßigten wieder eingesetzt.

Die von der Verfassungsgebenden Versammlung erarbeitete Verfassung tritt in Kraft: Frankreich ist konstitutionelle Monarchie; *der König behält nur das Recht zu einem aufschiebenden Veto.* – In der neugewählten (gesetzgebenden) Nationalversammlung hat das Bürgertum die Majorität, und zwar zunächst das Besitzbürgertum; doch wird unter den bürgerlichen Deputierten der revolutionäre Flügel (Girondisten, Jakobiner) mehr und mehr tonangebend.

1792   Von den Girondisten durchgesetzte Kriegserklärung an Österreich und Preußen, die unter dem Einfluß der französischen Emigranten mit Intervention zugunsten der Monarchie gedroht haben (Koalitionskrieg, 1792–1797). Der zunächst für Frankreich ungünstige Kriegsverlauf schürt das Mißtrauen gegen Ludwig XVI., vor allem seit ein Manifest des Oberbefehlshabers der Koalitionstruppen mit strenger Strafandrohung gegen die Pariser die Wiederherstellung der Autorität des Königs fordert.

10. August 1792 Sturm auf die Tuilerien: Die Pariser Massen stürmen den Wohnsitz des Königs in Paris und setzen die königliche Familie gefangen; das Königtum wird suspendiert:

Das ist der Beginn einer neuen Phase der Revolution; eine neue Welle der Emigration des Adels beginnt. Die Regierungsgewalt geht an einen neuen Ministerrat über, in dem Danton Justizminister ist.

2.–6. September 1792 Septembermorde: Nachdem die österreichisch-preußische Koalitionsarmee sich bedrohlich Paris genähert und die Festung Verdun erobert hat, kommt es in den Pariser Gefängnissen zu einem Massaker an über 1000 ‚Verdächtigen‘ (Adligen, Royalisten, Geistlichen) durch die Pariser Massen. Danton hat (im Gegensatz zur Darstellung Büchners) die Septembermorde nicht veranlaßt; allerdings hat er, der Justizminister, sie auch nicht zu verhindern versucht.

Nach der erfolglosen Kanonade von Valmy (bei Verdun) muß sich die Koalitionsarmee zurückziehen; die französischen Revolutionstruppen dringen über den Rhein vor: Die akute Gefahr einer ausländischen Invasion ist gebannt.

Der neugewählte Nationalkonvent besteht nur aus Republikanern. Wachsender Einfluß der Bergpartei; die Girondisten geraten infolge der zunehmenden Radikalisierung der Revolution immer mehr nach ‚rechts‘.

Abschaffung des Königtums: Frankreich wird Republik.

Januar 1793 Hinrichtung Ludwigs XVI. als ‚Bürger Louis Capet‘, nachdem ihn der Nationalkonvent wegen Landesverrats verurteilt hat. (Die Verurteilung und Hinrichtung der Königin folgt im Oktober). **1793**

Reaktionen auf die Hinrichtung des Königs und die Radikalisierung der Revolutionsregierung:

Aufstände von Royalisten und Girondisten in der Vendée und in verschiedenen Städten, u. a. *in Lyon, wo der radikale Jakobiner Chalier hingerichtet wird.* Die Aufstände ziehen sich bis in den Herbst und werden dann mit Massenexekutionen bestraft.

England und andere Länder treten der Koalition gegen Frankreich bei; englische Blockade erschwert die Getreidezufuhr. In Paris steigen die Brotpreise; *die Hauptstadt ist von Hungersnot bedroht.*

März 1793: *Das Revolutionstribunal wird eingesetzt, auf Betreiben u. a. von Danton* (vgl. III, 3). Gegen die Urteile dieses Gerichts gibt es keine Berufung.

April 1793: *Der Wohlfahrtsausschuß wird als Exekutivorgan des Nationalkonvents geschaffen* (9 Mitglieder: der Ausdruck *‚Dezemvirn‘*, Zehnmännerkollegium, ist also ungenau). Führend im Wohlfahrtsausschuß wird alsbald Robespierre, der den Ausschuß zum Instrument seiner Diktatur ausbaut.

31. Mai – 2. Juni 1793: Verhaftung von girondistischen Abgeordneten auf Beschluß des Nationalkonvents, der von revolutionären Pariser Massen belagert und unter Druck gesetzt wird (es handelt sich um einen Staatsstreich des Volkes gegen die Volksvertretung). *Weitere Girondisten werden aus dem Konvent ausgeschlossen.* Im Oktober werden die *zweiundzwanzig* prominentesten Girondisten verurteilt und guillotiniert; *die Gironde ist damit politisch ausgeschaltet.*

Juli 1793: Marat, einer der führenden radikalen Politiker, wird von der Aristokratin Charlotte Corday ermordet.

Die im Sommer 1793 fertiggestellte *republikanisch-demokratische Verfassung, die im wesentlichen auf Hérault-Séchelles zurückgeht*, tritt nicht in Kraft, da die gespannte politische Lage eine Notstandsregierung zu fordern scheint.

September 1793: *Hungeraufstand in Paris. Bewaffnete Sansculotten erzwingen die Aufnahme ihrer Vertrauensmänner Collot und Billaud in den Wohlfahrtsausschuß und fordern Maßnahmen gegen die wirtschaftliche Not.*

September 1793 – Juli 1794: Die Schreckens-Herrschaft (terreur), seitdem der Wohlfahrtsausschuß auf Anregung Robespierres sich zum Schrecken als Regierungsmittel bekannt hat. Entchristianisierungs-Bestrebungen der Hébertisten und der Commune, gipfelnd in einem ,Tedeum der Vernunft' in Notre-Dame.

Seit Dezember 1793: *Danton will die weitere Radikalisierung der Revolution verhindern. Zusammenarbeit mit Camille Desmoulins*, der in seiner Zeitung ,Le vieux Cordelier' (,Der alte Franziskaner'; vgl. z. B. I, 6) die Ultra-Radikalen um Hébert und Chaumette angreift, die Terrorherrschaft Robespierres mit dem Despotismus der römischen Kaiser Tiberius, Caligula und Nero vergleicht (vgl. I, 3) und *die Einsetzung eines Gnadenausschusses verlangt.*

1794 März 1794: Robespierre setzt die *Verhaftung der Hébertisten* durch. Hébert und die wichtigsten seiner Anhänger werden *am 24. März hingerichtet* (mit diesem Datum beginnt Büchners Drama).

Nach der Ausschaltung der ,Linksabweichler' ist die Auseinandersetzung Robespierres mit den ,Rechtsabweichlern', d. h. mit den Gemäßigten um Danton, vorprogrammiert.

31. März 1794 Verhaftung Dantons und seiner Freunde; 1.–4. April drei Verhöre; 5. April Hinrichtung.

28. Juli 1794 (10. Thermidor nach dem republikanischen Kalender): *Enthauptung Robespierres*, St. Justs und 21 ihrer Anhänger; am folgenden Tag wird fast der gesamte Pariser Stadtrat als Hausmacht Robespierres guillotiniert.

Mit dem Tod Robespierres endet die radikal-demokratische Phase der französischen Revolution; die Direktorialverfassung von 1795 orientiert sich wieder an den Interessen des Besitzbürgertums.

Die politischen Gremien und Gruppierungen zur Zeit der Dramenhandlung, 1793/94

Die Republik Frankreich
hat ihre parlamentarische Vertretung im *Nationalkonvent*, der aus allgemeinen Wahlen im Herbst 1792 hervorgegangen ist. Als Regierung nehmen Ausschüsse des Konvents die Exekutive wahr; am wichtigsten ist der *Wohlfahrtsausschuß*. Das höchste Gericht ist das (von Danton im März 1793 geschaffene) *Revolutionstribunal*, das nur auf Tod oder Freispruch erkennt.
Im Konvent gibt es zwar keine eigentlichen Fraktionen mit fester Parteizugehörigkeit; doch gibt es politische Gruppierungen, die nach der Sitzordnung benannt werden, wobei die Deputierten nicht ‚rechts' oder ‚links' sitzen, sondern weiter unten oder weiter oben auf den ansteigenden Bänken: im *Tal* (in der ‚Plaine') sitzen die Gemäßigten; die Deputierten des *Bergs* (der ‚Montagne') sind die Radikalen.

Die Stadt Paris
mit ihren revolutionären Massen, die gemäß ihrer sozialen Lage sehr viel radikaler sind als der im Prinzip bürgerlich orientierte Nationalkonvent, nimmt seit Beginn der Revolution immer wieder direkten Einfluß auf die Geschicke der ganzen Nation (Bastille-Sturm, Umquartierung von König und Parlament aus Versailles nach Paris, Tuilerien-Sturm, Liquidierung der Girondisten).
1789 hat sich in Paris in einem revolutionären Akt eine Stadtregierung etabliert. Die Stadt ist in 48 *Sektionen* eingeteilt, aus deren Komitees Vertreter in den *Gemeinderat*, die *Commune*, gewählt werden.
An der Spitze des Gemeinderats steht ein *Prokurator*; seit

1792 ist Chaumette Prokurator, Hébert sein Stellvertreter. Nach der Beseitigung der Hébertisten ist Robespierre das Haupt der Commune; allerdings kann er sich in und gegenüber der Commune nur behaupten, indem er sich selbst zu einer zunehmend radikaleren Politik drängen läßt. Robespierres Sturz reißt dann fast die ganze Commune mit sich.

Die politischen Clubs:

Die Clubs sind politische Diskussionsforen, die als Willensbildungszentren fungieren, – also in etwa Vorläufer der heutigen Parteien. Ihre Namen haben diese Clubs von den aufgelösten Ordensklöstern, in denen sie tagen.

Die *Jakobiner* sind der älteste Club, ursprünglich eine Gruppierung der demokratischen Mitte. Dann spalten sich die Jakobiner in einen ‚Girondisten'-Flügel und in einen ‚Montagne'-Flügel, der unter Führung von Robespierre und St. Just die radikale Politik der Pariser Commune vertritt. Nach der Hinausdrängung der Girondisten werden die Jakobiner zu den Radikalen, als die sie bekannt sind.

Die ‚Cordeliers' (Franziskaner), gegründet von Danton, sind links von den Jakobinern angesiedelt. Zu ihnen gehören u. a. Danton, Marat, Desmoulins, Legendre, Hébert. Sie geraten dann ganz unter den Einfluß plebejischer Kräfte um Hébert, die *Hébertisten*. Die Gemäßigten distanzieren sich; Camille Desmoulins nennt seine Zeitung den ‚Alten Franziskaner': d. h. das Sprachrohr der ursprünglichen Cordeliers vor Hébert.

Die Sansculotten:

Sansculotten, wörtlich ‚Ohnehosen', werden Leute genannt, die nicht die für die Adligen charakteristischen Kniehosen mit Seidenstrümpfen tragen, sondern die langen Hosen des arbeitenden Volks. Die Sansculotten sind eine kollektivistische Bewegung des Pariser Stadtvolks: sie vertreten – oft im Gegensatz zum wesentlich besitzbürgerlich orientierten Konvent – die Interessen der unteren Schichten (Kleinbürger, Handwerker usw.); von ihnen kommen deutliche Forderungen nach einer sozialen Revolution (während z. B. auch Robespierre nie das Eigentumsrecht in Frage stellt). Mit ihren roten Mützen, der Pike in der Hand, dem brüderlichen Du und ihrer Tugendhaftigkeit verkörpern die Sansculotten geradezu die Umkehrung der aristokratischen Gesellschaft. – Ihre politische Heimat haben die Sansculotten am ehesten in der Pariser Commune, in der direkten Demokratie, die in deren Sektionen praktiziert wird.

Georg Büchner: seine Zeit – sein Leben – seine Werke

Die politischen Verhältnisse zur Zeit Büchners

Bald nach der Beendigung der jakobinischen Phase der Französischen Revolution durch die Hinrichtung Robespierres begann der Aufstieg Napoleons (sein Staatsstreich 1799, die Kaiserkrönung 1804) und die Eroberung fast ganz Europas in den napoleonischen Kriegen. 1812/13 folgte der Rückschlag: die Befreiungskriege der von Napoleon unterworfenen Völker (1813 die Niederlage Napoleons in der ‚Völkerschlacht bei Leipzig‘); 1815 wurde Napoleon nach seinem ‚Kaisertum der 100 Tage‘ endgültig besiegt.

Napoleonische Zeit

Befreiungskriege

Den Deutschen brachte die Befreiung nicht die erhoffte Freiheit. Errungenschaften wie die Garantie der Menschenrechte und der bürgerlichen Rechte im ‚Code Napoléon‘ gingen wieder verloren. Beim Wiener Kongreß 1814/15 wurden unter dem Einfluß des österreichischen Staatskanzlers Metternich die europäischen Verhältnisse nach der Französischen Revolution im Geist einer starren Restauration (d. h. der Wiederherstellung des vorrevolutionären Zustands) neu geordnet, was für viele der vormals besetzten Gebiete, z. B. Büchners Heimat Hessen-Darmstadt, ein merklicher Rückschritt war. Die Heilige Allianz zwischen Österreich, Preußen und Rußland sollte den Frieden sichern, vor allem aber alle revolutionären Bewegungen unterdrücken; denn gegen die Restauration regte sich Widerstand, zumal in bürgerlichen und akademischen Kreisen. Wichtigste Unterdrückungsmaßnahmen waren die Karlsbader Beschlüsse (1819), mit strengen Zensurbestimmungen gegen Versammlungs-, Rede- und Pressefreiheit, und die durch sie ermöglichten ‚Demagogenverfolgungen‘.

Restauration in Deutschland

Karlsbader Beschlüsse; ‚Demagogenverfolgungen‘

In Frankreich erregte Karl X. (König seit 1824) mit

seiner Restaurationspolitik wachsende Mißstimmung, die sich schließlich in der Pariser Julirevolution von 1830 entlud. Karl X. mußte dem liberal-demokratischen Louis Philippe weichen, der als ‚Bürgerkönig‘ die ‚goldenen Tage der Bourgeoisie‘ herbeiführte, d. h. die Interessen der Bankiers und Fabrikanten wahrnahm; eine Politik, die die sozialen Probleme unberücksichtigt ließ oder mit Gewalt zu unterdrücken versuchte.

Unter dem Eindruck der Pariser Julirevolution gab es in Deutschland verschiedene Aufstände, getragen meist von hungernden Handwerkern und Bauern. In

Hessen wurde ein Bauernaufstand bei dem Dorf Södel von Militär niedergeschlagen (1830): das ‚Blutbad von Södel‘ hatte auf Büchners revolutionäres Denken großen Einfluß.

In diese politischen Verhältnisse also fiel Büchners Lebenszeit: Die von einem großen Stab von Polizei und Spitzeln gestützte Herrschaft der Restauration, gegen die sich jedoch Widerstand regte – einerseits von bürgerlichen Liberalen, denen es um verfassungsmäßige Rechte und wirtschaftliche Freiheiten ging und die in Frankreich den ‚Bürgerkönig‘ an die Macht brachten; andererseits von den Hungernden, die für menschenwürdige Lebensbedingungen kämpften. Büchner gehörte in dieser Oppositionsbewegung zum sozial orientierten, ‚sozialistischen‘ Flügel, – trotz seiner Herkunft aus gutbürgerlichen Verhältnissen.

Büchners Leben und Werke

Georg Büchner wurde am 17. 10. 1813 in Goddelau bei Darmstadt, der Residenzstadt des Großherzogtums Hessen-Darmstadt, geboren. Der Vater war Arzt, hatte lange als Militärarzt unter Napoleon gedient, blieb auch Zeit seines Lebens ein Anhänger Napoleons (wodurch Büchner schon früh auf die Revolutionsgeschichte hingewiesen wurde), hielt aber im übrigen streng loyal zu seinem Staat.

1831 begann Büchner das Medizinstudium in Straßburg, also im französischen Ausland. Hier machte er Bekanntschaft mit den demokratischen Kräften, die im Vorjahr den Sturz Karls X. erreicht hatten, und mit den Anfängen der sozialistischen Opposition gegen die Bourgeoisie-freundliche Politik des ‚Bürgerkönigs' Louis Philippe. Büchners Briefe aus dieser Zeit bezeugen lebhaftes politisches Interesse; seinen Bekannten erschien er einigermaßen radikal. – In Straßburg wohnte Büchner bei dem protestantischen Pfarrer Jaeglé, mit dessen Tochter Minna (d. i. Wilhelmine) er sich später verlobte (offiziell 1834).

Medizinstudium in Straßburg 1831–1833

Um sein Studium abzuschließen, mußte Büchner 1833 an die Heimatuniversität Gießen überwechseln, wo er unter der bedrückenden Enge und Restaurationsmentalität, aber auch unter der Trennung von der Braut schwer litt. – Anfang 1834 trieb Büchner intensive Studien über die Französische Revolution, offenbar um aus deren Analyse Richtlinien für sein eigenes Handeln zu gewinnen; unter dem „zernichtenden" Eindruck dieser Studien steht der ‚Fatalismus-Brief' an die Braut (März 1834). Doch trotz dieses deprimierenden Ergebnisses hinsichtlich der Möglichkeiten politischen Handelns begann Büchner ungefähr gleichzeitig eine intensive illegal-revolutionäre Tätigkeit: Im März 1834 gründete er nach französischem Vorbild in Gießen und etwas später in Darmstadt eine geheime ‚Gesellschaft der Menschenrechte': die erste frühkommunistische Geheimgesellschaft in Deutschland, in der man sich politischer Schulung widmete („Krieg gegen die Reichen!" und „alles Vermögen ist Gemeingut" waren Slogans der Gruppe); man unternahm aber durchaus auch Schießübungen.

Studium in Gießen 1833–1834

Studium über die Französische Revolution (‚Fatalismus-Brief')

Gründung einer illegalen ‚Gesellschaft der Menschenrechte'

Bei dem Bemühen, Kontakte zu anderen revolutionären Gruppen zu knüpfen, stieß Büchner auf den Rektor und Pfarrer in Butzbach, Friedrich Ludwig Weidig, eine zentrale Gestalt der hessischen Oppositionsbewegung, der selbst eine mittlere und deshalb auch vermittelnde politische Richtung vertrat. Büchner, in der weit radikaleren Überzeugung, daß eine Revolution von den Massen des Volkes getragen sein müsse (und das hieß für Hessen: von der bäuerlichen Bevölkerung), hielt es für notwendig, durch Agitation das Bewußtsein der Bauern für ihre Lage

Bekanntschaft mit Rektor Weidig

zu wecken. Da Weidig geheimen Zugang zu einer Druckpresse in Offenbach hatte, bot sich hier eine Wirkungsmöglichkeit; so verfaßte Büchner 1834 die revolutionäre Flugschrift *„Der Hessische Landbote"*, einen Text von ungeheurer agitatorischer Zugkraft, der mit seiner Losung „Friede den Hütten! Krieg den Palästen!" zum Kampf gegen die Reichen aufrief. Weidig akzeptierte den „Hessischen Landboten" nur unter der Bedingung einer entschärfenden Bearbeitung; vor allem machte er aus dem Angriff auf „die Reichen" durchgehend einen auf „die Vornehmen" (ersetzte also das soziale Anliegen der Hungernden durch einen Mitbestimmungsanspruch des Bürgertums); eine Änderung, über die Büchner sehr ungehalten gewesen sein soll.

Der „Hessische Landbote" wurde in Offenbach gedruckt; das Unternehmen war aber durch einen Spitzel verraten worden, und so wurde einer der Abholer der gedruckten Exemplare festgenommen; die übrigen Beteiligten konnte Büchner noch rechtzeitig warnen. – Obwohl die Behörden also einen Teil der Auflage beschlagnahmt hatten und die Verteilung des Rests zu verhindern versuchten, war der „Hessische Landbote" nicht ohne Wirkung. Die Resonanz der Flugschrift veranlaßte die Verschwörer zu einer zweiten Auflage noch im gleichen Jahr.

Büchners Zimmer in Gießen war in seiner Abwesenheit polizeilich durchsucht worden; doch die Dreistigkeit, mit der der vorgeblich unschuldige Büchner gegen diese Maßnahme protestierte, irritierte den Universitätsrichter so sehr, daß er die bereits angeordnete Verhaftung vorerst nicht zu vollziehen wagte. Wegen verstärkter polizeilicher Untersuchungen in Gießen hielt Büchner sich aber seit September 1834 in Darmstadt bei den Eltern auf, wo er

sich im Labor des Vaters auf das Examen vorbereitete, nebenher aber auch an der Organisations- und Aktionsbasis und am politischen Programm der Darmstädter ,Gesellschaft der Menschenrechte' arbeitete; außerdem trieb er erneut Studien zur Französischen Revolution.

Anfang 1835 weiteten sich die polizeilichen Nachforschungen immer mehr aus, so daß ständig die Gefahr drohte, daß sie auch auf Büchners Spur führen würden; im Januar 1835 wurde Büchner zweimal als Zeuge vor den Untersuchungsrichter geladen.

In dieser Zeit fortwährenden Bedrohtseins (als im Garten des Büchnerschen Hauses immer eine Leiter bereitstand, die notfalls die Flucht über den Zaun ermöglichen sollte) schrieb Büchner von Mitte Januar bis Mitte Februar 1835 „Dantons Tod"; am 21. Februar schickte er das Manuskript an Karl Gutzkow, den Herausgeber einer Literaturzeitschrift. Die Buchausgabe des Stücks erschien im Juli 1835, zum Ärger Büchners mit vielen Änderungen (vor allem zwecks Beseitigung der ‚Unanständigkeiten').

Januar/Februar 1835 „Dantons Tod"

Anfang März 1835 floh er über die Grenze nach Straßburg. Kurz darauf wurden politische Freunde Büchners und auch der Rektor Weidig verhaftet; im Juni erging ein Steckbrief gegen Büchner.

März 1835 Flucht nach Straßburg

In den 1 ½ Jahren in Straßburg widmete sich Büchner neben seinen Studien weiter der literarischen Tätigkeit: Ende 1835 entstand das Fragment der Erzählung „Lenz", 1836 das Lustspiel „Leonce und Lena" (ein satirisch-schwermütiges Spiel zwischen marionettenhaft agierenden Personen); und in den Sommer 1836 fällt wohl auch der Beginn der Arbeit am „Woyzeck", den er aber bis zu seinem Tod nicht vollenden konnte.

In Straßburg Arbeit an „Lenz", „Leonce und Lena", „Woyzeck"

Andererseits arbeitete Büchner in der Straßburger Zeit intensiv am Aufbau einer wissenschaftlichen Karriere auf dem Grenzgebiet zwischen Biologie und Philosophie. Von intensiven philosophischen Studien zeugen umfangreiche Exzerpte und Notizen; die naturwissenschaftlichen Studien führten zu einer (französischen) Dissertation ‚Über das Nervensystem der Barben' (einer Karpfenart), für die ihn die Straßburger naturwissenschaftliche Gesellschaft zum korrespondierenden Mitglied machte und für die er im Herbst 1836 von der (erst drei Jahre zuvor gegründeten) Universität Zürich die Doktorwürde erhielt.

Wissenschaftliche Karriere:

Dissertation ‚Über das Nervensystem der Barben'

Die Universität Zürich bot ihm auch eine Dozentenstelle. Bei der Übersiedlung in die Schweiz hatte der paßlose Emigrant Büchner einige Schwierigkeiten (die liberaleren Nachbarn der deutschen Staaten waren ständig in Sorge, wegen der Aufnahme von

1836 Dozent an der Universität Zürich

Asylbewerbern Ärger zu bekommen); doch im Oktober 1836 konnte er nach einer Probevorlesung ‚Über Schädelnerven' seine Tätigkeit in Zürich aufnehmen; er las im Wintersemester über vergleichende Anatomie der Fische und Amphibien und plante für den Sommer eine Philosophie-Vorlesung.

Probevorlesung ‚Über Schädelnerven'

1837 Tod Büchners

Doch wenige Monate nach dem Beginn dieser allem Anschein nach glänzenden wissenschaftlichen Laufbahn starb Büchner: am 19. Februar 1837 erlag er im Alter von nur 23 Jahren einer Typhusinfektion. Vier Tage nach Büchners Tod beging übrigens Weidig, der noch immer unter unmenschlichen Bedingungen in Darmstadt in Untersuchungshaft saß, im Gefängnis Selbstmord.

Büchners Werke

Von Büchners Dichtungen wurde zu seinen Lebzeiten nur *„Dantons Tod"* gedruckt (in stark bearbeiteter Fassung). *„Leonce und Lena"* blieb ungedruckt liegen. Die Erzählung *„Lenz"* und vor allem das Drama *„Woyzeck"* liegen nur als Fragmente vor; beim *„Woyzeck"* ist der Fragmentcharakter so stark, daß eine Vielzahl verschiedenartiger Textherstellungen versucht worden ist.

Die Erzählung „Lenz"

Die Erzählung *„Lenz"* schildert den Abschnitt aus dem Leben des Sturm-und-Drang-Dichters Jakob Michael Reinhold Lenz, als sich dieser in einer Phase zunehmender psychischer Selbstzerstörung bei dem Pfarrer Oberlin im Elsaß aufhielt, dessen Rechenschaftsbericht über diesen Aufenthalt Büchner in Straßburg bei Bekannten kennenlernte. – Die individuelle Geisteskrankheit wird von Büchner so dargestellt, daß sie zur Reflexion des heillosen Zustands der Welt wird. Die Erzählung ist von großem Realismus in der Wiedergabe der Einzelheiten, der Beobachtung der Seelenzustände, der Illusionslosigkeit; doch wird die Objektivität oft unvermittelt gesprengt durch Einschübe von absurder Subjektivität aus der Perspektive des Wahnsinnigen.

Das Dramenfragment „Woyzeck"

„Woyzeck" gehört trotz seines bruchstückhaften Zustands zu den meistgespielten Stücken und zu den wirkungsreichsten Dichtungen des 19. Jahrhunderts. Das Stück ist der markante Beginn des deutschen sozialen Dramas: Der arme, auch etwas einfältige Soldat Woyzeck wird von seinem Hauptmann ausgebeutet, von einem Doktor zum Versuchsgegen-

stand degradiert, von allen gedemütigt. Als ihm dann auch noch ein Tambourmajor die Geliebte abspenstig macht, ermordet er sie, wobei er sich von inneren Stimmen getrieben fühlt – Wahnvorstellungen, die wieder Reflexion des chaotischen Zustands der Welt sind. – Auch den Stoff des „Woyzeck" entnahm Büchner der Realität: er kannte gerichtsmedizinische Gutachten, die die Zurechnungsfähigkeit eines Mörders dieses Namens diskutierten.

Nach Büchners Tod veröffentlichte derselbe Karl Gutzkow, der schon den Druck des „Danton" vermittelt hatte, in seiner Zeitschrift 1838 „Leonce und Lena", 1839 „Lenz". Erst 1879 gab es eine einigermaßen vollständige und taugliche Ausgabe sämtlicher Werke, mit der ersten unzensierten Veröffentlichung von „Dantons Tod".

Auf die Bühne kamen Büchners Stücke noch später: Die erste Aufführung erlebte „Leonce und Lena" 1895 in München durch Schriftsteller und Literaturfreunde, „Danton" 1902 in Berlin an der ‚Neuen Freien Volksbühne', „Woyzeck" 1913 im Münchener Residenztheater.

Rezeptionsgeschichte

Literatur

Literaturhinweise für Schüler

Büchner, Georg: „Dantons Tod". Mit Materialien. Ausgewählt und eingeleitet von Bernd Jürgen Warneken. Stuttgart 1979 (Klett, Editionen für den Literaturunterricht)

Jansen, Josef: Georg Büchner: „Dantons Tod". Erläuterungen und Dokumente. Stuttgart 1969 (Reclam)

Hinderer, Walter: Büchner-Kommentar zum dichterischen Werk. München 1977

Johann, Ernst: Georg Büchner in Selbstzeugnissen und Bilddokumenten. Hamburg 1958 (rowohlts monographien)

Schnierle, Herbert: Georg Büchner. Leben und Werk. Stuttgart 1986 (Klett, Editionen für den Literaturunterricht)

Behrmann, Alfred/Wohlleben, Joachim: Büchner: „Dantons Tod". Eine Dramenanalyse. Stuttgart 1980 (Klett, LGW 47)

Außerdem zitierte Literatur

Georg Büchner. Hrsg. von Wolfgang Martens. Wege der Forschung: Darmstadt 1965. Darin u. a.:

    Viëtor, Karl: Die Tragödie des heldischen Pessimismus. (S. 98–137)

    Lukács, Georg: Der faschistisch verfälschte und der wirkliche Georg Büchner. (S. 197–224)

Georg Büchner I/II. Hrsg. von Heinz Ludwig Arnold. edition text + kritik. [München 1979]

Benn, Maurice B.: The Drama of Revolt. A Critical Study of Georg Büchner. Cambridge 1976

Klotz, Volker: Geschlossene und offene Form im Drama. München [²1962]

Krapp, Helmut: Der Dialog bei Georg Büchner. München [²1970]

Paul, Ulrike: Vom Geschichtsdrama zur politischen Diskussion. Über die Desintegration von Individuum und Geschichte bei Georg Büchner und Peter Weiss. München 1974

Poschmann, Henri: Georg Büchner. Dichtung der Revolution und Revolution der Dichtung. Berlin und Weimar 1983

Steinbach, Dietrich: Geschichte als Drama. (Anregungen für den Literaturunterricht) Stuttgart 1988